Bovarismo brasileiro

Maria Rita Kehl

Bovarismo
brasileiro

Ensaios

© Boitempo, 2018
© Maria Rita Kehl, 2018

Direção editorial
Ivana Jinkings

Edição
Bibiana Leme

Assistência editorial
Thaisa Burani

Revisão
Thaís Nicoleti

Coordenação de produção
Livia Campos

Capa e diagramação
Antonio Kehl
Sobre "Escravo" (1957), xilogravura p&b sobre papel, de Hansen-Bahia

Equipe de apoio Allan Jones, Ana Carolina Meira, Ana Yumi Kajiki, André Albert, Artur Renzo, Camilla Rillo, Eduardo Marques, Elaine Ramos, Frederico Indiani, Heleni Andrade, Isabella Barboza, Isabella Marcatti, Ivam Oliveira, Kim Doria, Marlene Baptista, Maurício Barbosa, Renato Soares, Thaís Barros, Tulio Candiotto

---

CIP-BRASIL. CATALOGAÇÃO NA PUBLICAÇÃO
SINDICATO NACIONAL DOS EDITORES DE LIVROS, RJ

K35b
    Kehl, Maria Rita, 1951-
       O bovarismo brasileiro : ensaios / Maria Rita Kehl. - 1. ed. - São Paulo : Boitempo, 2018.

    ISBN 978-85-7559-568-8

    1. Psicologia social - Brasil. 2. Brasil - Aspectos sociais - História. 3. Brasil - Aspectos culturais - História. I. Título.

18-48444   CDD: 302
                                                                  CDU: 316.6

É vedada a reprodução de qualquer
parte deste livro sem a expressa autorização da editora.

1ª edição: abril de 2018;
1ª reimpressão: fevereiro de 2019; 2ª reimpressão: agosto de 2022

BOITEMPO
Jinkings Editores Associados Ltda.
Rua Pereira Leite, 373
05442-000 São Paulo SP
Tel.: (11) 3875-7250 / 3875-7285
editor@boitempoeditorial.com.br
boitempoeditorial.com.br | blogdaboitempo.com.br
facebook.com/boitempo | twitter.com/editoraboitempo
youtube.com/tvboitempo | instagram.com/boitempo

Sumário

Nota da autora   9

Introdução – Bovarismo, modernidade, paranoia   11

1. Quincas Borba, de Machado de Assis: o bovarismo brasileiro   27

2. Dois casos de antibovarismo na cultura brasileira   55

3. Televisão   99

4. A psicanálise como dispositivo antibovarista. O caso de Manoel, ou "Porque sou um homem" (relato de uma análise conduzida na Escola Nacional Florestan Fernandes)   133

Apêndice 1 – Como entender o interesse pela psicanálise em um movimento social de origem católica e rural?   177

Apêndice 2 – Psicanálise ou psicoterapia? Efeitos da descoberta do inconsciente em solo virgem   183

Nota da autora

Como o leitor haverá de perceber, os textos que compõem esta coletânea não são novos. Nem inéditos, em sua maioria. Foram publicados em revistas, em anais de congressos e em outras coletâneas, entre 1980 (isso mesmo!) e 2011.

Se os apresento agora em um único livro, reunidos sob o título *Bovarismo brasileiro* (que será explicado ao leitor no primeiro capítulo), é porque essa foi a maneira que encontrei para tentar recompor uma parte deste quebra-cabeça inacabado a que chamamos Brasil.

A questão dos restos mal elaborados da escravidão na sociedade brasileira perpassa quase todo o livro. Abordo os sintomas sociais brasileiros a partir do século XIX: se logo na segunda década o Brasil deixou de ser colônia portuguesa, foram necessários mais setenta anos para deixar de ser escravocrata e monarquista.

Os últimos ensaios revelam o espanto da autora com o que hoje já se naturalizou entre nós: o poder unificador da televisão, percebido ainda com surpresa na década de 1970, em plena ditadura militar. O primeiro desses textos é uma crônica sobre o prestígio da tevê Globo no período em que começou a consolidar sua hegemonia; o seguinte analisa a rápida adaptação da imagem do presidente Lula, no dia da vitória, em 2002, entre falar para a multidão de eleitores no espaço público e, logo a seguir, ser entrevistado pelo *Fantástico*.

Escolhi preservar o estilo em que os textos foram escritos. O leitor haverá de notar, e às vezes achar graça, em termos usados normalmente há trinta anos e hoje em desuso.

O único capítulo inédito é o dos relatos de análises conduzidas entre militantes da Escola Nacional Florestan Fernandes, do Movimento dos Trabalhadores Rurais Sem Terra (MST). Tenho esperança de que eles revelem que, sim, dispositivos antibovaristas também existem no Brasil.

Introdução
Bovarismo, modernidade, paranoia

Padecimentos do sujeito, enganos do indivíduo

Não foi difícil para a escritora Susanna Kaysen, autora de *Garota, interrompida*[1], ir parar no hospital psiquiátrico Claymoore, na Nova Inglaterra, em 1967. Bastou uma canhestra tentativa de suicídio e o diagnóstico de "transtorno de personalidade" feito pelo psiquiatra consultado pela família: "Incerteza quanto à sua autoimagem, quanto a seus objetivos de longo prazo, os tipos de amigos e amantes que gostaria de ter e os valores que deve adotar". Sua *doença mental* era ter dezessete anos na década de 1960. Ou melhor, em 1967, bem no momento da virada da conservadora sociedade norte-americana do pós-guerra em direção à hegemonia de uma nova formação social que o Ocidente viria a chamar, a partir de 1968, de *juventude*. Hoje é mais fácil entender que a emergência do fenômeno *jovem* na década de 1960 foi fortemente determinada pela expansão e internacionalização (pelo menos entre os países da Europa e da América) da indústria cultural. Esta já existia desde a década de 1940, quando inspirou o ensaio seminal de Adorno e Horkheimer[2]. O período seguinte à Segunda Grande Guerra, a partir da década

---

[1] Susanna Kaysen, *Garota, interrompida* (trad. Márcia Serra, São Paulo, Única, 2013).
[2] Ver Max Horkheimer e Theodor Adorno, "A indústria cultural: o esclarecimento como mistificação das massas", em *Dialética do esclarecimento – fragmentos filosóficos* (1944) (trad. Guido Antonio de Almeida, Rio de Janeiro, Zahar, 1985), p. 113-56.

de 1950, favoreceu a expansão de duas importantes expressões (ou "produtos") da indústria cultural: o cinema e a indústria fonográfica. Juntos, revelaram uma capacidade inédita de influenciar comportamentos e criar novas demandas de consumo e de gozo. Mas a adolescente Kaysen não tinha como saber de onde vinha aquela onda de incertezas e de anseios confusos que provocaram seu surto.

Se tivesse nascido um século antes, a garota teria sido de imediato diagnosticada como histérica, no sentido atribuído a essa *doença feminina* antes de Freud. O século XIX foi o século da normatização da personalidade e do comportamento que hoje chamamos, já olhando pelo retrovisor, de "modo de vida burguês". Nesse caso, ela teria sido submetida às duchas de água gelada e sessões de eletrochoque do dr. Charcot, a fim de apaziguar possíveis manifestações sintomáticas do furor uterino. A medicalização da loucura, complementada pela psiquiatrização dos comportamentos antissociais – como bem argumentou Michel Foucault[3] –, foi a contrapartida que a ciência ofereceu para tentar enquadrar os que escapavam à norma do indivíduo autônomo, disciplinado e centrado na razão. Esse deveria ser, pelo menos até o início da década em que Kaysen supostamente surtou, um sujeito autovigilante, senhor de suas representações e responsável pelas manifestações públicas daquilo a que se convencionou chamar sua *personalidade*.

O interesse do relato de Kaysen é apenas literário. O livro tem o frescor do estilo *pop* da literatura jovem surgida a partir da década de 1950 nos Estados Unidos, mas suponho que não se destaque no panteão das grandes obras do século XX. O mérito de Kaysen foi descrever, de maneira muito acurada, a relação entre o que foi diagnosticado como seu surto psicótico e a percepção dos aspectos emergentes da realidade social, ainda não normalizados pelas práticas linguageiras de seu tempo. A recém-inaugurada liberação sexual das moças solteiras, as primeiras experiências com drogas entre adolescentes e jovens, a desconfiança crescente a respeito das motivações dos Estados Unidos na Guerra do Vietnã, todas as manifestações incipientes que explodiriam nas ruas de Washington e da Califórnia, em 1968, afetaram confusamente a adolescente Susanna, que as captou na forma do que mais tarde veio a chamar, em seu livro, de "realidades paralelas". Na medida em que a autora descreve suas *realidades paralelas*, o leitor é levado a perceber que estas seriam percepções de aspectos recalcados da vida social que, vistas à distância de três décadas – tempo que separou sua internação da publicação do livro –,

---

[3] Ver Michel Foucault: *Os anormais: curso no Collège de France (1974-175)* (trad. Eduardo Brandão, 2. ed., São Paulo, Martins Fontes, 2013).

se inserem com facilidade numa rede de produção de sentido. Deixaram de ser realidades *paralelas* e passaram a integrar a vida dita normal, pelo menos entre os habitantes das grandes cidades do Ocidente. A leitura de *Garota, interrompida* sugere vivamente que o delírio da adolescente teria sido uma tentativa de dar sentido a alguns fenômenos emergentes da realidade social que a afetavam antes que ela dispusesse de recursos significantes para nomeá-los[4].

O psicótico seria, como sugerem os últimos aforismos de Nietzsche[5], alguém com a sensibilidade mais apurada do que a dos *normais*; a estes últimos a psicanálise consideraria, no melhor dos casos, neuróticos, dada a impossibilidade teórica de compreender o sujeito fora de uma estrutura ("normalidade" não é um conceito psicanalítico). Nesse sentido, o delírio psicótico viria tentar fazer suplência aos mecanismos de defesa que protegem o neurótico das percepções excluídas da rede de sentido compartilhada pelo grupo social a que pertence. São respostas diferentes diante da angústia: aquilo que o neurótico recalca o psicótico expressa através do delírio. "Eu preciso dessas palavras todas", bordou Arthur Bispo do Rosário em uma de suas obras produzidas na Colônia Juliano Moreira, onde esteve internado por mais de cinquenta anos. Como quem precisa de muitas boias para não se afogar na falta de sentido.

Mas, em razão dessa mesma carência de defesas psíquicas contra a angústia, a estrutura psicótica tornaria o sujeito mais apto a captar "no ar" – ou sofrer em seu corpo – as transformações latentes e ainda não nomeadas no meio social em que vive. Transformações ainda fora do alcance das formações de linguagem que compõem o senso comum, mas que já se anunciam através do que se poderia grosseiramente denominar de "*acting-outs*", individuais (como no caso de alguns artistas extraordinários) ou coletivos. Vejamos como Lacan define o fenômeno: "*Acting-out: ênfase demonstrativa na conduta do sujeito orientada para o Outro*"[6].

---

[4] Abordei pela primeira vez essa hipótese dos fenômenos sociais emergentes que ainda não se inserem em uma rede de produção de sentido ao me referir aos deslocamentos do lugar social atribuído às mulheres no século XIX em minha tese de doutoramento, publicada com o título *Deslocamentos do feminino: a mulher freudiana na passagem para a modernidade* (1998) (2. ed., São Paulo, Boitempo, 2016).

[5] Ver, por exemplo, Friedrich Nietzsche, "Por que sou um destino", em *Ecce Homo: como alguém se torna o que é* (1888) (trad. Paulo César de Souza, São Paulo, Companhia das Letras, 1995), p. 109: "– a verdade fala em mim. – Mas a minha verdade é *terrível*: pois até agora chamou-se à *mentira* verdade".

[6] Jacques Lacan, *O seminário, livro 10 – A angústia* (trad. Vera Ribeiro, Rio de Janeiro, Zahar, 2005), p. 137.

Um Outro que, com frequência, não dispõe de recursos simbólicos para decifrar a mensagem atuada.

Chamo a atenção para o fato de que a verdade que o *acting-out* expõe à decifração não é claramente conhecida por aquele que atua. Daí o risco de ser tomada como manifestação de loucura ou de desregramento moral (a depender dos códigos vigentes) tal manifestação de um "saber que não se sabe", ainda na expressão de Lacan.

Um dos aspectos curiosos do universo paralelo em que a suposta doença lançou a jovem Susanna é que, segundo ela, "embora ele seja invisível pelo lado de cá, depois que entramos fica fácil enxergar o mundo do qual viemos"[7]. Ao Real impossível de se simbolizar, os agrupamentos humanos respondem com a criação social de uma realidade que funciona, organiza os lugares e os poderes, nos permite viver e conviver com nossos semelhantes. Uma realidade social que também é criadora de subjetividade, já que o sujeito só emerge do puro estado de corpo/coisa em que vem ao mundo ao ser inserido pelo Outro nas práticas discursivas[8] do universo a que pertence.

Uma frágil casquinha de linguagem e de práticas compartilhadas recobre o desconhecido, o avesso dos códigos – a outra metade da Verdade: a desordem pulsional, a Coisa animal que se calou em nós. Sabemos, com Freud, que a "realidade" social reconhecida pelo neurótico cobra seu preço em alienação, em desconhecimento, em manifestações sintomáticas do tal saber que não se sabe[9]. Se a psicose exclui das possibilidades de representação algumas fatias do imaginário social compartilhado a que chamamos realidade e se mantém fiel à *outra cena* – o tal "universo paralelo" da garota interrompida –, a neurose não a nega completamente. Os sintomas podem ser entendidos como metáforas da *outra cena*, que o neurótico recalca porque não quer saber dela.

Esse "não querer saber" que constitui o conforto dos neuróticos comuns é destruído pela psicose, ao recusar ao "doente" as vantagens da adaptação. Dito de outra forma: a falta do tal nó que ata Real, Simbólico e Imaginário deixa o psicótico à mercê da invasão de percepções não exatamente "irreais", e sim, ao contrário, *reais em demasia*. Diante de fenômenos incompreensíveis e irrepresentáveis como

---

[7] Susanna Kaysen, *Garota, interrompida*, cit., p. 18.
[8] Aos leitores não psicanalistas, vale sinalizar que o sentido de *discurso*, em Lacan, ultrapassa aquele do senso comum, que o identifica com o que se expressa através das palavras.
[9] Sigmund Freud, "A perda da realidade na neurose e na psicose (1924)", em *O eu e o id, "Autobiografia" e outros textos (1923-1925)* (trad. Paulo César de Souza, São Paulo, Companhia das Letras, 2011, Obras Completas, v. 16), p. 214-21.

aqueles que, a partir do final do século XVIII, horrorizavam os leitores da literatura fantástica – observem que a figura do *duplo* nessa literatura é contemporânea à descoberta do inconsciente freudiano[10] –, o psicótico nem sempre sucumbe: no mais das vezes, seu delírio consiste em criar uma espécie de *simbolização para uso privado* capaz de, precariamente, dar conta dos restos de Real que o assombram.

O que falta à percepção alucinada da realidade na psicose é o *caráter metafórico* que torna compreensível e tolerável para o interlocutor aquilo que se pretende comunicar através das práticas corriqueiras de linguagem. A ausência da metáfora na loucura torna impossível o uso irônico da linguagem. "As palavras são tratadas como coisas", escreveu Freud sobre a psicose – o que as torna mais perigosas do que nunca. Nada de eufemismos entre os malucos; nada de perder, *par délicatesse*, o que resta da ligação com o mundo – essa que já anda, a essas alturas, por um fio. O psicótico se agarra às palavras como se fossem fragmentos do Real.

A paranoia como expressão do "saber que não se sabe"

A tese de doutoramento de Lacan, de 1932 – *Da psicose paranoica em suas relações com a personalidade* –, traz um resumo das teorias psiquiátricas sobre a paranoia, desde o final do século XIX até o período em que foi escrita. Não interessa a meu propósito atual examinar, na tese de Lacan, as diferentes noções de paranoia entre as várias escolas de psiquiatria no início do século XX. A mim interessam, no que toca aos ensaios que se seguem, as relações que podemos estabelecer, ainda que de forma hipotética, entre os delírios paranoicos e a forma subjetiva do *individualismo*, característica do período de afirmação do capitalismo como modo de produção e da cultura burguesa como modo de dominação. O delírio ou, ainda, as *percepções* paranoicas também poderiam ser considerados tentativas de dar conta de aspectos do Real que escapam às produções de sentido convencionais. A proposta de considerar o saber contido no delírio paranoico não é nova: basta evocar o "método paranoico crítico" dos surrealistas, inventado por Salvador Dalí.

Comecemos examinando a noção bastante moderna de que as pessoas podem ser identificadas por sua *personalidade*, de acordo com as ideias descritas por Lacan em sua tese de doutoramento, onde aponta o caráter *substancial* da persona-

---

[10] Ver Noemi Moritz Kon, *A viagem: da literatura à psicanálise* (São Paulo, Companhia das Letras, 2002).

lidade, em oposição ao conjunto de tendências e características próprias de cada ser vivo reunidas sob o nome de "indivíduo".

Embora recue na história da filosofia até a relação formal entre alma e corpo em Aristóteles, Lacan só vai encontrar o conceito de *personalidade* nas psicologias científicas modernas. A tentativa de compreender os indivíduos a partir de uma análise da personalidade corresponde a uma exigência dos padrões modernos de socialização em um mundo em que pessoas estranhas são obrigadas a conviver, trabalhar juntas, firmar acordos importantes para sua vida e, acima de tudo, mostrar-se dignas de respeito e confiança com base no uso da palavra e na apresentação de si mesmas, uma vez que as garantias de sangue e de origem perderam grande parte de sua validade. Vale cotejar a análise de Lacan com a abordagem histórico-sociológica de Richard Sennett, em *O declínio do homem público*[11].

Brevemente, na tese de Lacan, a personalidade inclui uma ideia de *desenvolvimento da pessoa* ao longo de etapas ordenadas da vida – infância, adolescência, idade madura e velhice[12]. Essa sequência corresponde a um *desenvolvimento*, isto é, repousa sobre estruturas reacionais típicas segundo uma sucessão "comum à norma de todos os seres humanos". A "norma" que define o humano, portanto, escapa à noção de *identidade*. O humano seria, por definição, um ser vivo que não permanece idêntico a si mesmo ao longo da vida.

O que chamamos de "personalidade" se constrói a partir do trabalho de compor subjetivamente aquilo que Freud qualificou como "a rapsódia de toda uma vida". Observa-se, de imediato, a grande participação do imaginário em tal tarefa. É importante que o sujeito seja capaz de estabelecer relações de compreensão capazes de condicionar os progressos individuais ao progresso dialético do pensamento. Que possua a capacidade de reconhecer a si mesmo como *responsável pelas consequências de suas escolhas e seus atos* e de responder por eles perante a comunidade – nossos atos "nos pertencem e nos seguem", escreve Lacan. São capacidades adquiridas ao longo de uma vida em que o sujeito representa a si mesmo como *autor de seu destino*. O que se entende ao afirmar que alguém "tem personalidade" relaciona-se com a autonomia da conduta daquele que se responsabiliza perante os demais, tanto por suas intenções quanto pelas consequências

---

[11] Richard Sennett, *O declínio do homem público: as tiranias da intimidade* (trad. Lygia Araujo Watanabe, Rio de Janeiro, Record, 2014).

[12] Jacques Lacan, *Da psicose paranoica em suas relações com a personalidade* (trad. Aluisio Menezes, Marco Antonio Coutinho Jorge e Potiguara Mendes da Silveira Jr., Rio de Janeiro, Forense Universitária, 1987).

de seus atos – o que pode ser feito, evidentemente, nos termos da estrutura neurótica de cada um.

A ideia moderna de sujeito soberano, capaz de estabelecer livremente contrato com o outro sem, aparentemente, subordinar-se a nenhuma autoridade divina ou monárquica, está presente aqui: "*A tarefa de cada dia, e a parte mais preciosa da experiência dos seres humanos, consiste em aprender a distinguir, sob as promessas que formulam, aquelas que irão cumprir*"[13]. Analisar ou perceber a personalidade do outro é um precioso recurso para não se deixar enganar por ele[14]. Mas para isso é preciso supor, além da pretensa igualdade jurídica entre homens livres, uma relação simétrica entre personalidades que se confrontam, cada qual responsável por seus atos e clara em suas intenções. O que nos permite afirmar que a necessidade de definir o sujeito a partir de sua personalidade – e não mais de sua posição fixada em uma ordem social estável – seja rigorosamente moderna.

Pensar a si mesmo à maneira de quem escreve uma "autobiografia" coerente e compreensível seria equivalente – mas não igual – ao que Freud designou como a construção (fantasiosa) da "novela familiar do neurótico": um modo de interpretar a história familiar de forma que o sujeito se coloque como protagonista de acontecimentos sobre os quais detém menos controle do que gostaria.

Assim resume Lacan as condições da formação da personalidade:

1. Um desenvolvimento biográfico articulado a relações de compreensão dessa mesma história.

   Observe-se que não basta que a "biografia" seja uma sucessão de eventos tais como os registrados em documentos oficiais – registro de nascimento, registros escolares, de trabalho, casamento e morte. A definição da "personalidade", nesse primeiro Lacan, já inclui a subjetividade; requer que se registrem eventos em relações de causa e efeito que produzam sentido, de modo a compor aquilo que Freud chamaria de "novela familiar do neurótico".

2. Uma concepção de si mesmo que se traduz em imagens "mais ou menos ideais" de si.

   Até aqui, estamos no registro imaginário.

---

[13] Idem.

[14] Ver, a respeito, Peter Gay, *A experiência burguesa, da Rainha Vitória a Freud*, v. 2: *A paixão terna* (1986) (trad. Sergio Flacksman, São Paulo, Companhia das Letras, 1990).

3. Certa *tensão de relações sociais* que se definem objetivamente por autonomia pragmática da conduta, na qual se podem reconhecer *laços de participação ética*. Acentuo, por minha conta, o aspecto da participação ética, uma vez que com muita frequência ele há de retornar, amplificado, nas questões que compõem o núcleo do delírio paranoico.

As paranoias se distinguem das demais psicoses – esquizofrenias, parafrenias etc. – pelo fato de não apresentarem anomalias grosseiras, tais como alucinações. Embora a realidade esteja alterada, na paranoia, ela preserva ainda uma coerência no pensar, no agir e no querer. Seria o delírio paranoico uma espécie de resposta confusa à rivalidade que domina as relações com o outro e à dificuldade de atingir os ideais do *self-made man*? Lacan segue aqui a indicação de Emil Kraepelin, segundo a qual a estrutura do patológico está calcada sobre a estrutura normal, como se fosse "uma caricatura egocêntrica da situação do sujeito nas engrenagens da vida [...]. Trama, perseguida na idade madura, dos planos de alto alento do tempo da mocidade"[15]. Na juventude, segundo Kraepelin, a paranoia já se distingue "por sua tonalidade romântica, o predomínio das ilusões da memória e um delírio de inventor". Na idade madura, constitui uma "medida de defesa contra as influências contrárias da vida, e se distinguirá por uma superestimação sem medida das próprias capacidades".

Vale refletir se essas afirmações, transpostas para outro contexto, não poderiam descrever as condições *normais* do modo como o sujeito moderno se representa, diante do outro e de si mesmo. Mas essa dúvida não está presente nas considerações de Kraepelin.

No entanto, outros dois autores, Paul Sérieux e Joseph Capgras, afirmam não haver distinção entre o mecanismo racionalizador próprio das paranoias e os mecanismos normais da crença, da associação que produz sentidos, da cristalização passional, dos raciocínios errôneos, das modificações da atenção sob estados de tensão. A "ideia fixa que se impõe obsessivamente ao espírito" na paranoia não é diferente do mecanismo da paixão. Paranoia, intuição, abertura para o inconsciente do próprio sujeito ou (o que é ainda mais persecutório) para o inconsciente do outro: atentemos à relação que tais sintomas podem manter com as percepções que o neurótico "normal" costuma recalcar. Percepções que predispõem, como escreve Freud em "Sobre os ciúmes, a paranoia e a homossexualida-

---

[15] Jacques Lacan, *Da psicose paranoica em suas relações com a personalidade*, cit., p. 55.

de"[16], a um saber, por vezes intolerável, sobre algo que, no Outro, está recalcado. Ou, também, às percepções ainda não estruturadas pelas formas costumeiras da linguagem, e que por isso se tenta interpretar através do delírio, regido por uma lógica própria – como bem demonstra o relato de Susanna Kaysen.

Eugen Bleuler, um dos principais autores da escola alemã do século XIX, estabelece uma interessante relação entre a paranoia e a normalidade ao considerar o delírio uma reação do sujeito a situações vitais específicas:

> O sujeito, com efeito, está implicado em uma situação vital – sexual, profissional etc. – *que ultrapassa seus meios para enfrentá-la* e influi sobre sua afetividade de maneira profunda, humilhando-o frequentemente no plano ético. Ele reage como um sujeito normal, seja negando-se a aceitar a realidade – delírio de grandeza –, seja explicando seu fracasso pela malevolência do mundo externo – delírio de perseguição. A diferença entre o paranoico e o normal é que, ao passo que o indivíduo são corrige prontamente suas ideias sob a influência de uma melhora relativa da situação ou de uma atenuação secundária de sua situação emocional, o paranoico perpetua esta reação mediante uma estabilidade especial de sua afetividade.[17]

Ou seja: o paranoico é um sujeito que não tem dúvidas e não admite incoerências, ambiguidades, hesitações no pensamento e na ação. Não que não tenha dúvidas sobre si mesmo, as quais podem inclusive estar na origem da crise paranoica, mas seu sistema consiste em responder a essas dúvidas através da construção de uma certeza invulnerável – portanto, delirante. Ora: de certa forma, as respostas que o laço social espera do sujeito supostamente *autônomo* e senhor de suas próprias representações (do mundo e de si mesmo) se parecem muito com as tais certezas invulneráveis do paranoico.

É interessante observar que alguns autores, como Pierre Janet, na França, e Ernst Kretschmer, na Alemanha, encontram diversos sintomas comuns entre a paranoia e a neurose obsessiva – a qual, por sua vez, pode ser considerada uma espécie de *doença da normalidade* do sujeito autovigilante das primeiras décadas do século XX (vide o atormentado "Homem dos Ratos", de Freud). Também no caso dos obsessivos, os autores referem-se ao sentimento de incapacidade de

---

[16] Sigmund Freud, "Sobe alguns mecanismos neuróticos no ciúme, na paranoia e na homossexualidade (1922)", em *Psicologia das massas e análise do Eu e outros textos (1920-1923)* (trad. Paulo César de Souza, São Paulo, Companhia das Letras, 2011, Obras Completas, v. 15), p. 209-24.

[17] Citado em Jacques Lacan, *Da psicose paranoica em suas relações com a personalidade*, cit., p. 70; grifo meu.

fazer frente a desafios de alcance ético, profissional ou sexual como desencadeador da série de representações obsessivas, assim como da compulsividade dos atos a elas relacionados.

Como valores éticos e controle da sexualidade estavam intimamente imbricados ao longo do século XIX e início do XX, a frequência com que se encontram conflitos éticos e sexuais tanto no delírio paranoico quanto nos sintomas obsessivos remete à observação de Freud sobre o alto preço cobrado pela rígida moral sexual de sua época, na forma do mal-estar e da neurastenia[18].

É possível imaginar que o delírio paranoico, tal como descrito – mas não explicado – pela psiquiatria do século passado, corresponda à impossibilidade de o indivíduo se consumar como alguém centrado em si mesmo, autônomo em relação à sua comunidade de pertencimento, responsável pela condução e realização de seu destino. A paranoia seria *o retorno delirante da percepção correta a respeito da intrusão do Outro* (ou dos outros) na composição da "fortaleza narcísica" do indivíduo. A conclusão a respeito da generalidade de sintomas na paranoia levou Ferdinand Adalbert Kehrer a formular, nas pegadas de Eugen Bleuler e Ernst Kretschmer, que "não há paranoia, só há paranoicos". O paranoico poderia apenas se contar (como as mulheres, para Lacan) "um a um"? De onde se conclui que a paranoia não seria uma *estrutura*, no sentido psicanalítico do termo? Em apoio a essa hipótese, devemos lembrar que Lacan, em sua tese, concluiu que é mais fácil encontrar parentesco entre um sintoma neurótico e um delírio paranoico do que entre dois tipos vizinhos de delírio. Onde está a anormalidade da paranoia, então, a não ser na exacerbação de nossa suposta normalidade?

---

[18] Vale mencionar ainda, a respeito da relação entre "normalidade" e doença psíquica, as observações de Georges Canguilhem: "*On peut donc conclure ici que le terme de 'normal' n'a aucun sens proprement absolu ou essentiel. Nous avons proposé* [...] *que ni le vivant, ni le milieu ne peuvent être dits normaux si on les considère séparément, mais seulement dans leur relation.* [...] *Dans la mesure où le vivant anormal se révélera ultérieurement un mutant, d'abord toléré, puis envahissant, l'exception deviendra la règle au sens statistique du mot*" [Pode-se então concluir que o termo "normal" não tem nenhum sentido propriamente absoluto ou essencial. Propusemos [...] que nem o [ser] vivo nem o meio podem ser ditos normais se os consideramos em separado, mas somente na relação entre eles. [...] Na medida em que o ser vivo anormal se revelará, posteriormente, um ser em mutação, de início tolerado, depois invasivo, a exceção se tornará a regra, no sentido estatístico da palavra]; "Le normal et le pathologique", em *La connaissance de la vie* (1952) (Paris, Vrin, 2009, Bibliothèque des Textes Philosophiques), p. 207-8.

Bovarismo

Entre os diversos traços delirantes que descrevem a personalidade paranoica, um me interessa particularmente por seu amplo alcance metafórico a respeito da subjetividade moderna: o conceito, se é que se pode chamar assim, de bovarismo – cunhado pelo filósofo e psicólogo Jules de Gaultier em 1892 e adotado por Georges Genil-Perrin e outros psiquiatras para caracterizar a paranoia. Todos sabem que o termo foi calcado na personagem mais conhecida de Gustave Flaubert, uma ambiciosa e sonhadora pequeno-burguesa de província que, à força de ter alimentado sua imaginação adolescente com literatura romanesca, ambicionou "tornar-se outra" em relação ao destino que lhe era predestinado. Nesse projeto tipicamente moderno de tornar-se autora de seu destino, Emma Bovary investiu tudo o que podia: sua vida erótica, sua imaginação romântica e (não nos esqueçamos do principal) o pouco dinheiro ganho por seu marido, o medíocre médico Charles Bovary. Vale pensar – mas não levo a tarefa adiante no momento – na desigualdade de condições entre homens e mulheres quanto ao projeto de emancipação (supostamente universal) que integrou o campo de ideias, valores e também de transformações sociais efetivas durante o período de consolidação da modernidade[19].

Lacan refere-se por três vezes ao bovarismo no capítulo em que descreve as relações entre a paranoia e a personalidade. Na primeira, utiliza o termo para designar "a função metapsicológica sumamente generalizada" que consiste em tentar harmonizar as funções de síntese e de intencionalidade da personalidade nos casos em que elas divergem, através de "imaginações sobre si mesmo e ideais mais ou menos vagos"[20]. Essas divergências entre intencionalidade e síntese ocorrem em certa medida com todos nós, e sua resolução pode ser considerada uma função essencial ao homem, o que nos faz pensar que o bovarismo seria não um desvio ou uma intensificação, mas a *própria condição do sujeito* que se apresenta como autor e portador de uma "personalidade".

Como se define o bovarismo? Como "o poder conferido ao homem de conceber-se diferente do que é", escreve Jules de Gaultier[21]. A definição parte do princípio, bastante discutível do ponto de vista da psicanálise, de que o homem mentalmente sadio – ou seja, não bovarista – deva ser capaz de conceber-se *idên-*

---

[19] Ver, a respeito, Maria Rita Kehl, *Deslocamentos do feminino*, cit.
[20] Jacques Lacan, *Da psicose paranoica em suas relações com a personalidade*, cit., p. 30.
[21] Jules de Gaultier (1892), *Le Bovarysme* (s.l., Nabu, 2010), p. 68.

tico a si mesmo. Tal projeto já é bastante estranho às sociedades a que chamamos modernas, marcadas que foram pela existência da psicanálise. Afinal, o sujeito, desde Freud, é concebido como faltante, do ponto de vista do *ser*. E dividido. O que equivale a dizer: *não idêntico* a "si mesmo" – seja isso o que for. A paranoia, nesse caso, poderia ser considerada um efeito do horror à divisão subjetiva, da rejeição à presença necessária do Outro na constituição do sujeito.

A segunda exigência do sujeito não bovarista, que talvez seja a outra face da mesma moeda, seria a de conformar-se com um destino mais adequado às condições de sua origem social. A palavra *poder* ("conferido ao homem de conceber-se diferente do que é"), nesse caso, não deve passar despercebida. Um *poder conferido ao sujeito* – por quem? Pelas condições da cultura, a partir do momento histórico em que as possibilidades de ascensão social e superação da origem familiar passaram a ser transmitidas como ideais de uma geração a outra.

Gaultier classifica o bovarismo em:

1. Bovarismo moral: ilusão de livre-arbítrio. Sua consequência: a responsabilidade. Ilusão de unidade da pessoa.

2. Bovarismo passional ou o gênio da espécie: por exemplo, o homem que se torna presa da paixão de amor.

3. Bovarismo científico ou o gênio do conhecimento.

Mais adiante, ao retomar a definição metapsicológica de Gaultier na obra de Genil-Perrin, Lacan afirma que é impossível não se maravilhar ao ver, reunidos "em um mesmo quadro clínico, Madame Bovary, Homais, Dom Quixote, o Santo Antônio de Flaubert, nossos atuais delirantes e Prometeu".

À exceção de Prometeu, herói da Antiguidade castigado por realizar a moderna tarefa de compartilhar com os homens o fogo dos deuses, os outros três personagens de Flaubert guardam forte relação com o de Cervantes – este que tem sido considerado pela crítica o primeiro herói literário *moderno*.

Prometeu, segundo Genil-Perrin, representaria o "símbolo da mentalidade paranoica em suas formas mais elevadas". Mas não deveríamos considerar o bovarismo, como se pergunta Lacan, "o símbolo do próprio drama da personalidade"?

Lacan observa, na nota 72 de sua tese, o tom jocoso com que Genil-Perrin comenta as características do bovarista. Ele cita Perrin:

> Ridículo, cômico [...] o paranoico cuja presunção vai muito além dos meios de que dispõe, a quem nos regozija ver como a um palhaço caído no palco [...]

[...] ninguém zomba de Ícaro [...] mas começamos a zombar quando um pobre-diabo autodidata se debruça sobre determinado problema, muito tempo depois de que este foi tratado por técnicos competentes.

Vale observar que Kretschmer, ao incluir o meio social entre os determinantes da crise paranoica – os outros seriam conflitos éticos de ordem sexual e fracassos profissionais – alude a:

- Jovens solteiras que têm uma atividade profissional e solteironas provincianas à moda antiga – ambas, talvez, mais sujeitas aos conflitos ético-sexuais.

- *Autodidatas* ambiciosos de extração proletária. "A situação mais típica seria a do professor primário, fértil em pretensões, mas que, no entanto, não recebe nenhuma consagração [...] em razão de uma formação espiritual incompleta."

Mais adiante, ao se debruçar sobre o estudo do "Caso Aimée", Lacan também a classifica como *bovarista*: presa de uma aspiração amorosa "cuja manifestação verbal é tão mais tensa quanto mais discordante está com a realidade da vida e quanto mais condenada ao fracasso", revela uma "sensibilidade que podemos qualificar de essencialmente *bovarista*". "Extravios de uma alma romântica aliada a uma compreensão muito fresca da alma da infância e das vivências infantis" (Lacan) – além da conhecida pretensão de Aimée a ser reconhecida como escritora. Mais uma vez encontramos a referência ao autodidatismo: "Se Aimée tivesse sido menos autodidata, teria podido tirar melhor partido disso tudo". O bovarismo poderia ser entendido, nesse caso, como efeito da contradição insolúvel entre a justeza das pretensões *modernas* de Aimée e a insuficiência de seu isolamento social e de sua condição de mulher pobre.

"I did it my way": paranoia, bovarismo, individualismo

Louis Dumont considera que a Declaração dos Direitos do Homem representou o triunfo do indivíduo; mas essa categoria, de acordo com Alain Corbin, permaneceu abstrata e mal definida, principalmente em termos de prerrogativas legais, ao longo de todo o século XIX. As primeiras conquistas legais, ainda no século XVIII francês, diziam respeito à privacidade domiciliar do cidadão.

No plano imaginário/ ideológico, o Romantismo celebra o triunfo do indivíduo sobre o homem genérico e universal do Iluminismo. Décadas depois, o burguês oitocentista já não se concebe como continuador de uma tradição, e sim como fundador de uma *linhagem*. Sua tarefa é "inaugurar seu prestígio por meio de seu *êxito pessoal*"[22]. A moda do retrato familiar ou individual, por exemplo, foi um dos meios que a burguesia de meados do século XIX utilizou para negar simbolicamente a tradição da qual se desligara.

Para representar-se diante do outro e de si mesmo como *indivíduo*, era necessário negar (ou recalcar) a dívida simbólica – não apenas para com os ancestrais, pela via patriarcal, mas também para com as derrotas sofridas pelas gerações anteriores a que se refere Walter Benjamin nas "Teses sobre o conceito de história"[23]. Dito em termos freudianos, tratava-se de negar o aspecto coletivo do ato revolucionário que fundou a nova ordem – o assassinato do pai primitivo em "Totem e tabu"[24] – para tentar ocupar, sozinho, o lugar do herói mítico. Não por acaso, confusões a respeito da filiação aparecem com frequência nos delírios paranoicos, sob a forma de aparições fantasmagóricas da autoridade paterna e da superestimação do sujeito como capaz de fazer-se sozinho, contra tudo e contra todos. "A formulação de ambições individuais choca-se contra as estruturas familiares tradicionais"[25] – mas também produz conflito no seio de famílias mais modernas, nas quais os filhos recebem um mandato ambíguo: sejam felizes à sua maneira, mas não deixem de se preparar para herdar os negócios do pai fundador de fortuna. Aqui se encontra também o traço bovarista da pretensão "autodidata" que não é outra coisa senão um aspecto secundário do moderno predomínio da meritocracia sobre a origem de sangue.

Fundam-se novos rituais sociais: a distribuição de prêmios profissionais ou escolares, o prestígio das condecorações, o tom hagiográfico de certos necrológios. Para muitos humildes, escreve Corbin, esses eram pequenos recursos em favor da

---

[22] Alain Corbin, "Os segredos do indivíduo", em Philippe Ariès e Georges Duby, *História da vida privada*, v. 4: *Da Revolução Francesa à Primeira Guerra* (1987) (São Paulo, Companhia das Letras, 1995), p. 423.

[23] Walter Benjamin, "Teses sobre o conceito de História" (1940) – tese VII: "A natureza dessa tristeza torna-se mais nítida quando se levanta a questão de saber, com que, afinal, propriamente o historiador do Historicismo se identifica afetivamente? A resposta é, inegavelmente: com o vencedor [...]. A identificação afetiva com o vencedor ocorre, portanto, sempre, em proveito dos vencedores de turno". Cito aqui a tradução de Jeanne Marie Gagnebin e Marcos Lutz Müller para Michel Löwy: *Walter Benjamin: aviso de incêndio – Uma leitura das teses "Sobre o conceito de história"* (São Paulo, Boitempo, 2005), p. 70.

[24] Sigmund Freud, *Totem e tabu, Contribuição à história do movimento psicanalítico e outros textos (1912-1914)* (trad. Paulo César de Souza, São Paulo, Companhia das Letras, 2012, Obras Completas, v. 11).

[25] Jacques Lacan, *Da psicose paranoica em suas relações com a personalidade*, cit.

"nova emoção de ler seu nome em uma coluna de jornal". "Qualquer um pode, agora, ser tentado a adotar a pose de herói, ainda que seja apenas no seio do círculo familiar... Até o gesto criminoso traduz tal aspiração."[26] A afirmação nos lembra o opúsculo provocativo de Thomas de Quincey, *O assassinato como uma das belas artes*[27]. Tratava-se de tornar-se artista, autor da própria vida, ao preço de um gesto extremo – qualquer gesto, contanto que original.

É de 1835 o relato do jovem criminoso Pierre Rivière coletado por Michel Foucault – *Eu, Pierre Rivière, que degolei minha mãe, minha irmã e meu irmão*[28]. Teria sido o crime do jovem camponês expressão da tomada de consciência individual de uma tensão coletiva entre a tradição familiar e o desejo de autonomia dos filhos? A passagem ao ato pode ser entendida como expressão violenta de uma tensão impossível de se resolver através das possibilidades discursivas que o jovem Pierre tinha a seu dispor? Toda passagem ao ato seria sempre uma tentativa de franquear a barreira entre o privado e o público?

Acrescentem-se aos elementos provocadores da reviravolta subjetiva moderna a recente conquista da privacidade dos quartos de dormir nas casas ricas e na pequena burguesia, a substituição paulatina dos hábitos de leitura em voz alta pela leitura individual e silenciosa (aliada ao barateamento das impressões e ao aumento rápido da circulação de romances baratos – até prostitutas passavam horas por dia lendo romances de amor), o que facilitava enormemente a interiorização da imaginação, e o prestígio dos diários, das trocas de cartas íntimas, das "escritas de si" como meio de afirmação do *eu*, ou seja, da personalidade, mesmo entre as mulheres e os adolescentes, privados de meios de projeção pública[29]. Aí encontramos a Aimée, de Lacan, que, após o atentado contra a atriz Z., recebe o diagnóstico de "delírio sistemático de perseguição, com tendências megalomaníacas e substrato erotômano".

A ambição de Aimée era ser reconhecida como grande escritora. "Afinal de contas, que querem vocês de mim?", perguntou Aimée aos médicos que a examinaram após o atentado. "Que lhes diga frases grandiosas?" Durante um período anterior ao atentado contra Z., Aimée imaginou que sua vida estaria sendo *publicada nos romances de um escritor conhecido*.

---

[26] Alain Corbin, cit., p. 429.
[27] Ed. bras.: trad. Henrique de Araujo Mesquita, Porto Alegre, L&PM, 1985.
[28] Ed. bras.: trad. Denize Lezan de Almeida, 7. ed., Rio de Janeiro, Graal, 2003.
[29] Ver Virgínia Woolf, *Um teto todo seu* (ed. bras.: trad. Bia Nunes de Souza, São Paulo, Tordesilhas, 2014).

Por fim, encontraremos a própria Bovary, personagem literária oitocentista que deu nome ao suposto traço paranoico: essa pobre pequeno-burguesa de província que sonhou transformar, ou reescrever, seu destino para torná-lo igual ao das heroínas dos romances cor-de-rosa que povoaram sua adolescência. Baudelaire considerava Emma Bovary um "homem de ação" – tanto quanto o medíocre e bem-sucedido farmacêutico Homais. Só que Emma, por ser mulher, não dispunha dos meios para tornar-se autora de sua história. Seu imaginário, como o de Aimée, era dominado pelo lugar-comum. Depois de uma série de tentativas canhestras de mudar o destino medíocre de mulher provinciana por meio de aventuras amorosas, o gesto autoral definitivo de Emma Bovary foi o suicídio.

Aquilo que somos capazes de fazer de nossa vida depende do modo como manipulamos a linguagem. A linguagem, bem melhor que o *acting-out*, é o instrumento de que dispomos para mostrar ao Outro o que podemos vir a ser; ocorre que mostramos sem sabê-lo, na expectativa de que o Outro nos devolva o sentido de nosso próprio discurso. Este é o aspecto mais dramático do desamparo do ser falante: o modo como o Outro responde ao enigma do destino, a ele dirigido, pode fazer a diferença entre o gênio e o paranoico, entre a *pin-up* famosa e a erotômana patológica, entre um *self-made man* bem-sucedido e o patético bovarista.

1.
Quincas Borba, de Machado de Assis: o bovarismo brasileiro[1]

Se o bovarismo pode ser considerado uma das condições que definem o sujeito moderno, vale lembrar que o historiador Sérgio Buarque de Holanda o incluiu entre os traços que compõem o conjunto das formações imaginárias que nós, brasileiros, compartilhamos. Em *Raízes do Brasil*, o historiador enumera a série de "panaceias" utilizadas, durante o longo reinado de Pedro II, para produzir efeitos secundários de modernização, à maneira dos países europeus emancipados e republicanos, sem alterar as estruturas arcaicas de mando e poder:

> Muitos dos que criticam o Brasil imperial por ter difundido uma espécie de *bovarismo* nacional, grotesco e sensaborão esquecem-se de que o mal não diminuiu com o tempo; o que diminuiu, talvez, foi apenas nossa sensibilidade a seus efeitos.[2]

Vale lembrar que, em 1904, Lima Barreto escreveu uma resenha de *Le bovarysme*, de Gaultier, na qual denunciou "os comportamentos cotidianos de impostura" na realidade brasileira[3]. Barreto, vítima de trágica inadaptação entre sua

---

[1] Apresentado na Jornada da Associação Psicanalítica de Porto Alegre, nov. 2005.
[2] Sérgio Buarque de Holanda, *Raízes do Brasil* (1936) (São Paulo, Companhia das Letras, 1998), p. 166.
[3] Citado em Maria Elvira Malaquias de Carvalho, "Aspectos da recepção do conceito de Bovarismo pela crítica literária brasileira", em *Revele: Revista Virtual dos Estudantes de Letras*, n. 4, maio 2012; disponível em: <http://www.periodicos.letras.ufmg.br/index.php/revele/article/view/3939/3885>, acesso em jul. 2017.

condição de negro pobre e a de escritor talentoso, no Rio de Janeiro do início do século XX, foi por duas vezes internado por alcoolismo no hospital psiquiátrico da Urca. Talvez por essa mesma razão tenha sido o resenhista adequado para compreender, a partir de seu próprio destino dramático, os autoenganos característicos do bovarismo brasileiro[4].

É bastante conhecida entre os leitores a passagem em que Emma Bovary é seduzida por seu segundo amante, Léon, na cabine de uma carruagem que o cocheiro conduz a esmo pelas ruas de Rouen. A rendição de Emma é apenas sugerida, do ponto de vista de um narrador que está fora da carruagem: Léon fecha os postigos da cabine e manda o cocheiro tocar em frente sem destino certo; logo mais uma mão feminina, já sem luvas, joga na rua pedaços de papel rasgado: a carta que Emma planejava entregar ao futuro amante, em uma tentativa romanesca de renunciar às consequências do flerte já iniciado entre os dois. A seguir, tudo o que o narrador descreve é o longo percurso do carro, ao comando de "siga em frente!", repetido, de dentro da cabine, na voz de Léon. Quando a carruagem finalmente para na porta do hotel em que Emma está hospedada, os dois já se tornaram amantes. A ousada passagem da sedução na carruagem foi um dos principais motivos alegados pelo Ministério Público de Paris para processar Flaubert por ofensas ao decoro e à moral em *Madame Bovary*[5].

A ironia do estilo arduamente construído por Gustave Flaubert para produzir no leitor um distanciamento crítico em relação às peripécias romanescas de sua personagem feminina não impediu que muitas gerações de mocinhas românticas tivessem lido *Madame Bovary* como uma "linda história de amor". A educação sentimental (literária) dos consumidores de romances, na Europa oitocentista e no resto do Ocidente, fez com que via de regra a recepção de *Madame Bovary* fosse também bovarista. A indagação que deveria conduzir a leitura do romance – por que as coisas são narradas desse jeito? – é frequentemente substituída pela pergunta-chave dos romances de ação: o que vai acontecer depois? A leitura romanesca

---

[4] Ver os cadernos escritos por Lima Barreto no Hospital Nacional de Alienados, no Rio de Janeiro, nas duas vezes em que esteve internado por delírios alcoólicos: três meses em 1914 e outros três meses entre dezembro de 1919 e fevereiro de 1920; *Diários do hospício e O cemitério dos vivos* (São Paulo, Cosac Naify, 2010).

[5] Para a íntegra do processo do Ministério Público contra Flaubert, ver *Madame Bovary* (Paris, Garnier-Flammarion, 1966). Ver também Vladimir Nabokov, *Lições de literatura* (trad. Jorio Dauster, São Paulo, Três Estrelas, 2015).

de *Madame Bovary* é conduzida pela expectativa de que Emma encontre o amante certo para cumprir com seus propósitos – igualmente romanescos, mas também burgueses – e encobre a pergunta central do romance: afinal, por que Emma deseja um amante? A resposta a essa pergunta passa pela fantasia de Madame Bovary de transformar-se em uma outra mulher através de uma relação amorosa com um homem que a arrebate para viver com ele uma vida muito diferente da sua medíocre realidade de pequeno-burguesa de província. A limitação da condição feminina impunha o adultério como única alternativa para alargar os horizontes existenciais de mulheres sonhadoras e insatisfeitas como Emma Bovary.

O termo bovarismo já se incorporou ao senso comum desde que a expressão foi cunhada pelo psiquiatra francês Jules de Gaultier, em 1892. Em *Madame Bovary*, a protagonista Emma é uma mulher que passa a vida tentando tornar-se outra. Só que essa fantasia, ou convicção delirante, está plenamente inserida entre os ideais e até mesmo entre as possibilidades individuais abertas pela sociedade burguesa – daí a atualidade e o poder crítico de *Madame Bovary* –, sobretudo pela via da mobilidade social, declaradamente criticada e desprezada por Flaubert[6].

Não por acaso, a sua personagem mais trágica (e também a mais ousada) é uma mulher: apartada das possibilidades de engajar-se no jogo pela ascensão social por conta própria, Emma Bovary tentou empreender sua trajetória, de provinciana remediada a burguesa emancipada, pela via do amor. A ascensão social do farmacêutico Monsieur Homais, que se desenrola à sombra das aventuras e desventuras de Emma, termina bem-sucedida. É sobre ele a última frase do livro – "*Il vient de recevoir la croix d'honneur*" [Ele acaba de receber a cruz de honra] –, indicando que a mobilidade burguesa seria mais acessível aos homens, capazes de desvendar e manobrar o código das conveniências sociais. Recordemos que o farmacêutico Homais toma o lugar de Charles Bovary como médico *que ele não é*: mas, no seu caso, o bovarismo funciona.

A desventura de Emma foi ter se tomado por personagem dos "romances para moças" que lera na adolescência. Flaubert parece ter escrito *Madame Bovary* contra a crença burguesa no livre-arbítrio, mas também contra a própria literatura de sua época, em que o amor se erigia como única forma de vida espiritual acessível aos filisteus. O cigarro e o adultério seriam as últimas formas de aventura ao

---

[6] Ver Gustave Flaubert, *Cartas exemplares* (org. e trad. Duda Machado, Rio de Janeiro, Imago, 1993).

alcance do homem moderno, escreveu, n'*O spleen de Paris*, seu contemporâneo e interlocutor Charles Baudelaire[7]. Se o código civil legalizasse o divórcio e tornasse o amor adúltero obsoleto, seria o fim da literatura, teria escrito Émile Zola em artigo para *Le Figaro*. Se para os pais de família burgueses o adultério representava a possibilidade de aventuras eróticas além das permitidas pelo casamento, para as mulheres casadas a fantasia de uma relação extraconjugal extrapolava o sentido de uma nova experiência sexual. Representava um ousado passo na direção de uma escolha de destino, para além dos papéis de filha, esposa e mãe que lhes estavam reservados desde o nascimento.

Cabe indagar, a partir do fracasso da empreitada de Emma Bovary, até que ponto é possível cumprir esse mandato moderno, ante os limites impostos pela dívida simbólica. Tornar-se outro, transformar o próprio destino, implica reconhecer o caráter *simbólico* da dívida para com os antepassados, de modo a não se deixar capturar pelas armadilhas da culpa. Mas implica também decifrar o campo de forças sociais que determinam a posição do sujeito, de modo a manobrá-las, como soube fazer Monsieur Homais, a seu favor. Para Emma Bovary, a fantasia de tornar-se outra passava pela via romanesca dos grandes amores adúlteros, muito importante na literatura do século XIX.

O alcance social e individual dessa forma de autoengano me permite tomar o bovarismo como uma das figuras mais expressivas da impossibilidade de se realizar plenamente a forma do *indivíduo*, característica da subjetividade moderna.

Quincas Borba e o bovarismo nacional

Nas sociedades da periferia do capitalismo, que se modernizaram tomando como referência as revoluções industrial e burguesa europeias sem, no entanto, realizar nem uma nem outra, a relação com os ideais passa forçosamente pela fantasia de "tornar-se um outro". Só que esse *outro* é, por definição, inatingível, na medida em que o momento histórico que favoreceu a modernização, a expansão e o enriquecimento dos impérios coloniais não se repetirá. O bovarismo dos países periféricos não favoreceu sua modernização; pelo contrário, sempre inibiu e obscureceu a busca de caminhos próprios, emancipatórios, capazes de resolver as

---

[7] Ver Charles Baudelaire, *O spleen de Paris: pequenos poemas em prosa* (trad. Alessandro Zir, Porto Alegre, L&PM, 2016).

contradições próprias de sua posição no cenário internacional – a começar pela dependência em relação aos países ricos.

Se a forma predominante do bovarismo brasileiro consiste em nos tomarmos sempre por não brasileiros (portugueses no século XVIII, ingleses ou franceses no XIX, norte-americanos no XX), nossa melhor literatura também tem seu personagem bovarista: é Rubião, personagem do romance *Quincas Borba*, de Machado de Assis. Rubião é o caipira pobre, professor de escola pública em Barbacena, a quem a leal dedicação ao amigo Quincas Borba vale uma inesperada herança. Rubião é nomeado (à custa de uma pequena trapaça) único herdeiro do filósofo picareta Quincas Borba, cuja fortuna fora herdada, por sua vez, de um tio rico – lembrem-se de que só os pobres trabalham para valer (quando trabalham) em Machado de Assis.

O próprio Quincas Borba, filósofo desocupado de província, teria sido também um "herdeiro" tropical de teorias progressistas europeias adaptadas às condições brasileiras. Sua filosofia, o *humanitismo* ("sátira à floração oitocentista de ismos, com alusão explícita à religião comtiana da humanidade"[8]), interpreta a história da humanidade como uma progressão natural que favoreceria, inexoravelmente, os mais capazes. Sua palavra de ordem – "Ao vencedor as batatas!" – justifica a desigualdade, como bem observa Schwarz[9]: seria um arremedo tropical da sobrevivência dos mais fortes (*"survival of the fittest"*) proposta por Spencer. A inadequação da pretensão ilustrada do filósofo de província se torna ainda mais evidente diante da realidade da exploração do trabalho escravo. Vale lembrar, ainda com Schwarz, que o dinheiro de Quincas Borba teria sido herdado de um tio, assim como, em *Memórias póstumas de Brás Cubas*, a fortuna do protagonista teria sido acumulada por um longínquo bisavô[10].

Mas, para contemplar a tradição cordial do modo de dominação brasileiro, a vitória dos mais fortes na filosofia de Quincas Borba não implicaria grandes riscos do lado dos vencedores nem revolta do lado dos vencidos: *humanitas*, princípio universal genérico capaz de apagar as diferenças que favorecem os mais fortes, impõe a migração permanente dos seres vivos de um corpo a outro, sem que nada

---

[8] Roberto Schwarz, *Um mestre na periferia do capitalismo* (São Paulo, Duas Cidades/ 34, 2000), p. 164.
[9] Ibidem, p. 165.
[10] Ibidem, p. 166.

do princípio "humanitista" universal se perca nessa transmutação. É assim que o filósofo Quincas Borba dá seu nome ao cão de quem Rubião deve cuidar como se fosse um duplo da alma do amigo.

Que não se tome tal princípio conformista no mesmo sentido das conclusões a respeito da vida e da morte na conhecida passagem da conversa entre os coveiros, em *Hamlet*. Em Shakespeare, os dois trabalhadores braçais que cavam a cova de Ofélia no cemitério, sujos de terra, parecem vingados de sua pobreza ao entender que, na morte, ninguém vale mais do que ninguém: a transmutação da matéria morta pode fazer reaparecerem os restos de um príncipe, eventualmente digeridos por uma minhoca devorada por um peixe, na barriga de um plebeu. Já o *humanitismo* de Borba justifica a exploração do trabalho e favorece sempre o ponto de vista dos vencedores, ignorando as diferenças de condições que determinam o resultado da luta. Tal arremedo de positivismo funciona como *naturalização das determinações históricas*. O paradigma do *humanitismo* seria a disputa entre duas tribos primitivas, em igualdade de condições, pela posse de um campo cultivado. O grito de guerra – *Ao vencedor as batatas!* – não é mais do que a afirmação alegre (nietzschiana?) de uma supremacia conquistada.

Só que as supremacias que interessam aos personagens de Machado de Assis – Brás Cubas, Rubião, os irmãos Pedro e Paulo, de *Esaú e Jacó* – não são as que se conquistam com luta ou trabalho. São as que se obtêm sem esforço nem risco pessoal através de favorecimentos, pistolões, tráfico de influências. O *humanitismo* de Borba não passa de uma cômica racionalização da injustiça social e do corporativismo das elites – "familismo", na expressão de Starling e Schwarcz[11] – que perpetuam desigualdades e privilégios de classe. Vale lembrar que aqui a colonização se inaugurou com a doação, pela Coroa portuguesa, das famosas "capitanias hereditárias": fatias da terra recém-descoberta oferecidas a título de propriedade privada a algumas poucas famílias egressas da pequena nobreza lusitana. À diferença dos primeiros colonizadores norte-americanos, que desbravaram o interior dos Estados Unidos para conquistar e cultivar pedaços de terra, no Brasil fatias do território foram distribuídas de maneira comparável à dos feudos medievais.

Voltemos ao nosso desastrado bovarista brasileiro.

De posse da considerável fortuna do falecido Quincas, obtida através de uma pequena picaretagem, Rubião sai de Barbacena para a corte, onde tenta posar

---

[11] Lilia M. Schwarcz e Heloisa M. Starling, *Brasil: uma biografia* (São Paulo, Companhia das Letras, 2015).

de cidadão do mundo. Seu provincianismo o condena: assim como a Emma de Flaubert, Rubião não domina o jogo das conveniências sociais entre as famílias ricas do Rio de Janeiro. Para fazer-se aceito, distribui a rodo o dinheiro herdado, posa de figurão benemerente, faz-se cercar de nulidades e aproveitadores "bem-nascidos" e morre louco, na miséria, de volta a Barbacena com o cão Quincas Borba, seu único amigo leal.

A triste biografia de Rubião é marcada por um único ato efetivo, que o projeta de maneira fugaz na vida social carioca: de passagem por uma rua do centro da cidade, salva uma criança das rodas de uma carruagem. De início, o simplório Rubião espanta-se de ver a vizinhança toda abrir alas à sua passagem, como se o gesto, que só lhe custara um corte na mão e a perda do chapéu, revelasse coragem excepcional.

O leitor perceberá que o impulso de tirar a criança da frente da carruagem guarda, ainda, um resto da espontaneidade e da despretensão que nosso herói trazia da vida provinciana. Para Rubião, o feito não significou nada de mais, mas ganhou coloração heroica na notícia publicada no jornal de seu amigo Camacho, interessado em lançar a candidatura de Rubião à Câmara dos Deputados. A primeira reação de nosso "herói", mineiro recatado que era, ao ler a versão sensacionalista de seu gesto publicada no *Atalaia*, foi de desagrado: "Quem me mandou ser linguarudo?". Mas uma nova leitura da notícia – "Que era bem escrita, era. [...] Que narração! que viveza de estilo!" – foi convencendo Rubião da importância de seu ato.

A partir desse momento, Rubião vai progressivamente abandonando o modo de pensar provinciano para tentar identificar-se com a imagem que a imprensa sensacionalista da capital oferecia dele. Pela primeira vez, reconhecendo-se – não sem uma forçada de barra – na descrição exagerada do jornal, Rubião intui, confusamente, que o sucesso de sua escalada na sociedade carioca dependia de fazer-se passar por um outro.

Um *outro* do qual se sentia muito, muito distante. À saída do escritório de Camacho, cruza seu caminho com o de uma senhora bem-vestida e perfumada.

> Baronesa! [...] O ar metia-lhe pelo nariz acima um aroma fino e raro, cousa de tontear, o aroma deixado por ela. Baronesa! [...] Que novidade podia haver em tudo isso? Nenhuma. Uma senhora titular cheirosa e rica, talvez demandista, para matar o tédio. *Mas o caso particular é que ele, Rubião, sem saber por que, e apesar do seu próprio luxo, sentia-se o mesmo antigo professor de Barbacena.* (grifo meu)

De outra vez (capítulo LXXXVI), depois de uma visita ao Freitas, que estava doente – sociabilidade de província... –, Rubião estende o passeio além da praia Formosa e da Gamboa, até o bairro da Saúde:

> Viu ruas esguias, outras em ladeira, casas apinhadas ao longe e no alto dos morros, becos, muita casa antiga, algumas do tempo do rei, comidas, gretadas, estripadas, o cais encardido e a vida lá dentro. E tudo isso lhe dava uma sensação de nostalgia... Nostalgia do farrapo, da vida escassa, acalcanhada e sem vexame. Mas durou pouco: o feiticeiro que andava nele transformou tudo. Era tão bom não ser pobre!

O risco do vexame, que não existia na vida acalcanhada das lembranças nostálgicas de Rubião, assolava constantemente o novo-rico que tentava inserir-se entre as elites da capital. Assim como Emma Bovary, em sua posição de mulher na sociedade oitocentista e tendo tomado como guia os romances açucarados de sua adolescência, não foi capaz decifrar as forças sociais que determinavam sua condição, o provinciano Rubião também não dominava os códigos da vida na corte. Estava permanentemente sujeito ao vexame – o que ainda considerava melhor do que ser pobre.

A transmutação do antigo professor de Barbacena em figurão da corte não se dá pela via da experiência política nem por efeito de algum outro ato de projeção pública. Sua candidatura à câmara dos deputados naufraga; se Rubião não entendia por que deveria ser deputado, como entenderia as razões do fracasso? "Podia, devia estar na Câmara. Os tais é que o não quiseram." E sonha com a desforra: haviam de vê-lo deputado, senador, ministro[12]. Depois de acrescentar uma pequena emenda a um artigo de Camacho, sente-se como se fosse também um pouco autor do texto.

É a vez de Machado exibir, com sarcasmo, a mágoa do grande escritor em país periférico. No capítulo seguinte, lamenta não poder "dar a esse livro o método de tantos outros [...] em que a matéria do capítulo era posta no sumário: 'De como aconteceu isto assim e mais assim'". Evoca os grandes autores do passado, Bernardim Ribeiro e "outros livros grandiosos". "Das línguas estranhas, sem querer subir a Cervantes nem a Rabelais, bastavam-me Fielding e Smollet, muitos capítulos dos quais só pelo sumário estão lidos."

---

[12] Mais uma vez Machado parodia Flaubert. Vale lembrar, em *A educação sentimental*, a tentativa canhestra de Frédéric Moreau ao candidatar-se a uma vaga na Assembleia: alheio aos possíveis caminhos políticos que deveria percorrer para realizar seu sonho, Frédéric contenta-se em sonhar com a bela figura que faria com o traje de deputado...

E assim o autor de Quincas Borba passa ao capítulo CXIII, ao qual, se lhe fosse dado ter nascido Fielding, daria o título "De como Rubião, satisfeito da emenda feita no artigo, tantas frases compôs e ruminou, que acabou por escrever todos os livros que lera".

Se Machado faz seu narrador declinar da pretensão de fazer-se passar por um grande autor clássico, não poupa seu personagem de, "durante alguns minutos", acreditar-se "autor de muitas obras alheias". Na página seguinte, é a vez de o narrador vingar-se de sua condição: dedica apenas duas linhas ao capítulo CXIV: "Ao contrário, não sei se o capítulo que se segue poderia estar todo no título"; e, no capítulo seguinte, toma seis páginas para descrever um encontro entre Rubião e Sofia.

O humor com que Machado de Assis reage a seu próprio bovarismo[13] me faz pensar em uma passagem do ensaio "As ideias fora do lugar"[14], em que Roberto Schwarz analisa a força crítica da literatura produzida em um país cujas contradições, diante do ideário moderno, só poderiam gerar uma atitude cética. O ceticismo nacional em face das ideologias favorece a obra de Machado, tornando-a comparável à literatura russa do século XIX, capaz de abarcar as ambiguidades do ideário burguês a ponto de fazer os melhores romances do realismo francês parecerem ingênuos.

> Assim, o que na Europa seria verdadeiramente façanha da crítica, entre nós podia ser a singela descrença de qualquer pachola, para quem utilitarismo, egoísmo, formalismo e o que for são uma roupa entre outras, muito da época, mas desnecessariamente apertada.[15]

O fato de Machado de Assis ter se tornado escritor de grande porte em um país periférico, em que valores e ideias progressistas eram frequentemente tomados "em sentido impróprio"[16], amplificou o alcance de sua obra. Esta, a despeito do conservadorismo do autor, até hoje é capaz de não apenas problematizar a farsa da modernização no Brasil oitocentista como de nos fazer

---

[13] Arrisco essa sugestão do bovarismo machadiano a partir da autopercepção do próprio Flaubert – o qual revela, em diversas cartas a amigos e à amante Louise Colet, que sua personagem é uma tentativa de curar "l'enfant imaginaire" que ele sabia ser. Também Machado, no Rio de Janeiro entre o final do século XIX e início do XX, precisou apostar com força no desejo de "tornar-se outro" para superar o destino previsível do negro filho da lavadeira e tornar-se escritor consagrado, fundador da Academia Brasileira de Letras, da qual foi aclamado o primeiro presidente, em 1896.

[14] Roberto Schwarz, "As ideias fora do lugar", em *Ao vencedor as batatas* (São Paulo, Duas Cidades, 1977).

[15] Ibidem, p. 23.

[16] Idem.

descrer de máximas consagradas pela ideologia burguesa, nos casos em que foi bem-sucedida, donde se conclui que o melhor bovarismo é aquele que, mesmo sem recuar na empreitada, percebe e expõe criticamente o ridículo de suas pretensões.

Voltemos a Rubião. Fracassada a fantasia, que nunca fora realmente sua, de ingressar na vida pública sem saber para que, é da porta de casa para dentro que nosso herói cumpre sua tão sonhada transformação; suas relações sociais multiplicam-se. É reconhecido na rua como "um ricaço de Minas. Tinham-lhe feito uma lenda". Tal lenda incluía não apenas a origem de sua fortuna, mas também uma suposta erudição:

> Diziam-no discípulo de um grande filósofo, que lhe legara imensos bens [...]. Estranhavam alguns que ele não tratasse nunca de filosofia, mas a lenda explicava esse silêncio pelo próprio método filosófico do mestre, que consistia em ensinar somente aos homens de boa vontade.

A fama antecedera a obra, não era preciso filosofar. A seleta plateia de homens de boa vontade não passava do grupo de comensais que frequentavam os generosos almoços oferecidos pelo suposto filósofo. Aliás, ainda que fosse capaz disso, seus convidados não estariam interessados em ideias. Importava-lhes que Rubião recebia bem, todas as noites, um círculo de comensais: "Não seriam discípulos, mas eram de boa vontade", acrescenta Machado com ironia. Todos lhe deviam dinheiro, fumavam seus charutos, apreciavam o vinho e a boa comida. Rubião acompanhava os tempos: sabendo que a criadagem negra deixava de ser um sinal de distinção, substituiu os antigos escravos mantidos na casa por um cozinheiro francês e um pajem espanhol, que, a bem da verdade, intimidavam seu patrão. No seu gabinete, ostentava dois bustos de mármore de Napoleão, o I e o III.

O Napoleão de hospício de Machado de Assis

Lá pelo último terço do romance, quando Rubião parece ter finalmente se estabelecido entre a elite carioca, encontramos uma surpreendente paródia da passagem da carruagem de *Madame Bovary*. Rubião, que já fracassara em uma tentativa de seduzir a bela esposa de seu amigo Palha, Sofia, vai visitá-la sem ser convidado. A moça está de saída, e Rubião não hesita: entra com ela na carruagem e diz ao cocheiro que pode partir. Sofia implora que ele desça para evitar um escândalo, caso os dois sejam vistos juntos em situação tão íntima. Rubião, impetuosamente, "imita" o sedutor Léon: fecha os postigos e propõe que, isolados na cabine, possam "andar à toa, os cavalos vão andando e nós vamos conversando, sem que nos ouçam nem adivinhem...". No romance de Flaubert, a sedução de Emma por Léon é sugerida do ponto de vista externo à carruagem, que o condutor faz correr a esmo por Rouen com os postigos fechados. Mas Machado descreve essa cena do interior da carruagem, pois ela não apresenta despudor algum: o narrador faz falhar o propósito sedutor de Rubião. O leitor acompanha a repulsa de Sofia, que se encolhe no banco, o mais longe possível de seu sedutor. De repente, Rubião parece desistir da investida. Intimida-se, apoia o queixo no castão da bengala, ensimesmado. Só sai desse mutismo, que deixa Sofia bastante espantada, quando retoma um tipo de delírio que já vinha se insinuando nos capítulos anteriores: dirige-se a Sofia em tom grandiloquente, romanesco, como se fosse o imperador dos franceses, Luís Napoleão, falando com sua amante. Sofia tenta interrompê-lo, atônita:

– Senhor Rubião...
– Napoleão, não; chama-me Luís. Sou o teu Luís, não é verdade, galante criatura?

Antes disso, no capítulo CXLVI, Rubião mandara o barbeiro esculpir sua barba em pera, com o mesmo corte do sobrinho de Napoleão. Agora, promete a Sofia que lhe nomearia o marido embaixador, ou melhor, senador, para que o casal não tivesse de deixar o Rio. Promete nomeá-la duquesa. Tenta presentear Sofia com o solitário que traz no dedo, mas ela, que amava as joias, acha por bem recusar. Subitamente, Rubião apeia.

Vale especular: por que Machado teria escolhido Luís Bonaparte como *duplo* de Rubião? Lembremos que o sobrinho de Napoleão Bonaparte, autossagrado Napoleão III em 1852, havia por duas vezes (1836 e 1840) tentado derrubar Luís Filipe, o "rei burguês". Preso em 1840, acusado de complô contra o Estado, Luís Napoleão consegue fugir em 1846 e é eleito presidente da República, com 74% dos votos, em 1848. Em 1852, sagra-se imperador Napoleão III. Victor Hugo o apelidou de "Napoleão, o pequeno"[17]. A restauração anacrônica da monarquia na França motivou Marx a evocar a observação de Hegel de que os personagens e fatos importantes da história costumam ocorrer duas vezes. Ao que Marx acrescentou a célebre observação: "a primeira vez como tragédia, a segunda como farsa"[18].

---

[17] *Napoleão, o pequeno* é o título de um livro de Victor Hugo, publicado logo após o golpe do 18 de brumário, em 1852.

[18] Karl Marx, *O 18 de brumário de Luís Bonaparte* (trad. Nélio Schneider, São Paulo, Boitempo, 2011), p. 25.

Aqui, interponho uma curiosidade sociológica: antes do reinado de Luís Bonaparte, ainda durante o império napoleônico, a farsa do pequeno grande imperador (o verdadeiro) teria produzido, em Paris, uma espécie de grande surto bovarista. Foi o período em que surgiu a figura, hoje anedótica, do louco que se imagina Napoleão. A ascensão do "pequeno caporal" a grande imperador dos franceses teria oferecido uma ancoragem imaginária para a emergência de um novo sintoma delirante entre os paranoicos de Paris. Tal "surto" de delírios napoleônicos é objeto de pesquisa da historiadora Laure Murat, autora de *O homem que se achava Napoleão*[19]. A pesquisa de Murat parte da premissa de que as grandes reviravoltas da história produzem suas próprias versões delirantes nas sociedades em que ocorrem. A história da loucura, sugere a autora, deveria levar em conta as loucuras da história. A pergunta que inaugura seu livro é: "Como se delira a história?"[20]. O fenômeno coletivo de delirantes napoleônicos na França oitocentista nos faz pensar, como bem sublinha o prefaciador Jurandir Freire Costa, na "complexa interação entre loucura e política"[21]. A figura, hoje caricata, do "Napoleão de hospício" corresponde de fato a um verdadeiro surto de identificações psicóticas com a figura megalomaníaca do imperador dos franceses.

Um dos elementos fundamentais dessa interação é a instituição do hospital psiquiátrico. Laure Murat afirma, em uma proposição coincidente com outra novela de nosso Machado de Assis, que "a história da loucura é, primeiro e antes de tudo, a do alienismo"[22]. O arguto senso crítico de Machado de Assis se comprova aqui mais uma vez: no conto *O alienista*, o diretor fanático do hospital psiquiátrico que decide internar a população inteira põe em evidência a mesma hipótese defendida por Murat. Como dissociar a história da loucura, de seus diagnósticos tendenciosos, de seu lugar social equivalente ao da criminalidade, da história da *normopatia*[23] e seu correspondente furor hospitalar?

Volto ao bovarismo dos Napoleões. Quanto ao primeiro Napoleão, o "verdadeiro": teria sido um homem à altura do personagem que construiu?

---

[19] Laure Murat, *O homem que se achava Napoleão: por uma história política da loucura* (trad. Paulo Neves, São Paulo, Três Estrelas, 2013).

[20] Ibidem, p. 19.

[21] Ibidem, p. 10.

[22] Ibidem, p. 33. Murat não se refere a Machado, mas sua afirmação remete o leitor brasileiro imediatamente a *O alienista* (1882).

[23] Para o leitor não familiarizado com o jargão, esclareço que "normopatia" é o termo que designa a paixão pela normalidade, presente sobretudo na sintomatologia da neurose obsessiva.

Ante os reis, encarnações de uma história dinástica fundada numa monarquia de direito divino secular, Napoleão é o Usurpador, o pequeno caporal corso que chegou sozinho ao comando da Europa. [...] Salvador ou ditador, adulado ou odiado, pouco importa, Napoleão oferece, aos olhos de seus contemporâneos, o caso único de um aventureiro que consegue chegar sozinho ao comando do Estado. Exemplo, no fundo, daquilo que nos Estados Unidos se chamaria de *self-made man*.[24]

Poderíamos considerar o imperador dos franceses, que funda seu poder em uma fantasia megalomaníaca, um caso de bovarismo bem-sucedido?

Ainda em relação ao comentário de Marx sobre as repetições farsescas dos episódios na história, vale analisar o personagem bovarista de Machado, em seu delírio, como uma espécie de "farsa da farsa". O novo-rico inexpressivo, nascido em um país que tardava tanto a proclamar sua República quanto a extinguir a vergonhosa escravidão[25], elege como *duplo* o autoproclamado imperador *farsesco* de um país que já havia se tornado republicano. Enquanto isso o Brasil, pátria de Rubião, era comandado por um imperador que gastava o dinheiro público em longas viagens internacionais, que não se interessava pela administração do Império e tinha tantas dificuldades em tomar decisões políticas que foi apelidado pela população do Rio de Janeiro de "Emperrador"[26].

Volto ao ponto em que Rubião, como que expulso de seu delírio napoleônico pela rejeição de Sofia, apeia abruptamente da carruagem.

"Apenas separados, deu-se em ambos um contraste." O contato com a rua devolve Rubião de volta à realidade. Já Sofia, livre do perigo de comprometer-se, começa por sua vez a sonhar-se personagem da cena a que ele a transportara. Sente "'saudades do céu', que é o que dizia o padre Bernardes do sentimento de um bom cristão": aqui, Machado aproxima Sofia da personagem de Flaubert, cujos anseios eróticos se confundiam, desde a adolescência, com transportes de piedade e arrependimento cristãos. Sofia, livre do risco do escândalo, deixava-se transportar pela fantasia de um outro homem, que não Rubião, que lhe dissesse

---

[24] Laure Murat, *O homem que se achava Napoleão*, cit., p. 190.
[25] Sobre a permanência tardia da escravidão no Brasil, ver Luiz Felipe de Alencastro, "Vida privada e ordem no Império", em Luiz Felipe de Alencastro e Fernando A. Novais (orgs.), *História da vida privada no Brasil*, v. 2: *Império: a corte e a modernidade nacional* (São Paulo, Companhia das Letras 1998), p.12-93.
[26] Ver Lilia Moritz Schwarcz, *As barbas do Imperador: D. Pedro II, um monarca nos trópicos* (São Paulo, Companhia das Letras,1998).

ao ouvido os mimos mais apetitosos. Mas quem? "Nomes diversos relampejavam no azul daquela possibilidade."

Uma leitura psicanalítica[27] sugere que, diante da angústia provocada pelo encontro com o objeto do desejo, Rubião teria sofrido uma espécie de despersonalização, da qual emergiu aderindo à imagem do personagem que escolhera como duplo: o imperador Napoleão III. Mas a fineza literária de Machado de Assis, que a psicanálise jamais esgotará, consiste em fazer duplicar a própria figura do duplo, tão frequente na literatura do século XIX[28]: embora Rubião tente passar-se pelo sobrinho de Napoleão, o duplo que o narrador machadiano lhe atribui é o cão Quincas Borba, que o acompanha desde Barbacena até o hospício, e novamente a Minas, para morrer na miséria. O cão Quincas[29] representa o aspecto interiorano, humilde, vira-lata da personalidade de Rubião que ele tenta, sem sucesso, recalcar. Assim como Rubião, Quincas tem melhor memória para os afagos do que para as pancadas; confia nos homens. "Gosta de ser amado. *Contenta-se de crer que o é*" (grifo meu). Também Rubião se contenta em crer que é amado, prestigiado, respeitado, e não registra as pancadas que vai recebendo pelo caminho. Por isso mesmo, nunca está preparado para defender-se de novas pancadas que ainda estão por vir.

O que se pode dizer da sedução falha de Rubião na paródia flaubertiana de Machado de Assis?

Machado com certeza sabia que a Bovary de Flaubert fracassara em seu projeto de tornar-se "outra". Mas não fracassa como grande personagem feminina da literatura ocidental.

Já Sofia, bela esposa do burguês Palha, não é nenhuma Emma; não tem a imaginação, a grandeza, a ousadia trágica do personagem de Flaubert. Sofia só quer um amante para corresponder às fantasias do marido, que gosta de exibi-la aos outros homens, nos bailes e nos salões. Não interessa a Sofia arriscar, por uma aventura, o conforto tedioso da vida de esposa abastada. Sua paixonite pelo bem-apessoado Carlos Maria é logo frustrada quando o rapaz decide casar-se com a prima sem encantos de Sofia, Maria Benedita. Poderíamos também imaginar que, se acaso Sofia tiver lido os mesmos romances que acalentaram os delírios de Emma

---

[27] Ver Lucia Serrano Pereira, *Um narrador incerto – Entre o estranho e o familiar: a ficção machadiana na psicanálise* (Rio de Janeiro: Companhia de Freud, 2004).

[28] Ver, a respeito, Noemi Moritz Kon, *A viagem*, cit.

[29] Lembramos que o nome do cachorro já teria sido dado em homenagem ao falecido dono, do qual Rubião herdara a inesperada fortuna.

Bovary, certamente não os terá levado tão a sério. Machado dotou sua personagem de uma imaginação bem menos ousada do que a da personagem de Flaubert.

Podemos seguir adiante: Quincas Borba, o filósofo conformista de província, não era nenhum Spencer (filósofo, aliás, secundário no panteão ocidental).

O tolo Rubião não é Léon; não tem seu charme nem seu *savoir-faire* com as mulheres. Tampouco o bonitão Carlos Maria, aliás, seria um sedutor à altura de seus belos olhos.

O Brasil do Segundo Reinado acomodou-se aos novos tempos sem grandes rupturas, sem passar pelas convulsões sociais que abalaram a França de Luís Napoleão. O Rio de Janeiro bem gostaria, mas estava longe de se parecer com a Paris oitocentista.

"E eu", poderia dizer Machado, "também não sou nenhum Flaubert."

Retomo aqui a ironia com que Machado se refere a seu lugar na grande literatura universal de seu tempo para depois se apropriar, com a liberdade que lhe convém, de algumas de suas invenções. Cabe, então, ainda mais uma volta no parafuso: e Flaubert, ele teria sido o que julgava ser?

O ponto de vista do cabo do chicote

Apesar de seu enorme esforço em elevar a literatura brasileira ao patamar mais alto da literatura universal – sem perder a marca do lugar de origem –, Machado de Assis não alcançou a projeção internacional de Flaubert. Condena-o a língua, falada apenas em Portugal e algumas colônias distantes. Condena-o a posição secundária do atrasado Brasil – monárquico, escravocrata – no cenário da política e da cultura ocidentais. No entanto, como o personagem-narrador de Brás Cubas, também em *Quincas Borba* Machado "dispõe da tradição ocidental com espetacular desenvoltura"[30].

O estilo de Machado de Assis é marcado pela duplicidade dos enunciados que torna o narrador "pouco confiável", "incerto", na expressão de Lúcia Serrano Pereira[31]. Tanto faz se na terceira pessoa, como em *Quincas Borba*, ou na primeira, como em *Dom Casmurro* e *Brás Cubas*, a voz do narrador em Machado de Assis caracteriza-se por fazer desacreditar seu próprio enunciado.

---

[30] Roberto Schwarz, *Um mestre na periferia do capitalismo*, cit., p. 33.
[31] Lucia Serrano Pereira, *Um narrador incerto*, cit.

Como o leitor percebe que o narrador de *Quincas Borba* não leva a sério o que diz? Talvez pelo simples fato de que ele diga, com tamanho despudor, aquilo que nem a norma burguesa nem a boa convenção literária lhe permitiriam dizer. No capítulo XLVII, Rubião é desviado de seu caminho pela multidão de curiosos que vai assistir ao enforcamento de um negro. Vai como que fascinado, lutando contra a própria consciência. Os curiosos explicam que o condenado era um criminoso feroz. Isso basta para que Rubião encare o réu "sem delíquios de piedade" e siga o cortejo até o fim. "Era tão raro ver um enforcado! Senhor, em vinte minutos está tudo findo! Senhor, vamos tratar de outros negócios!"

Tal *desfaçatez* – palavra sempre bem empregada por Roberto Schwarz – só é possível na medida em que o narrador não acredita no que diz: o que empresta uma permanente nota de cinismo a seu ponto de vista. Roberto Schwarz, em *Um mestre na periferia do capitalismo*, oferece elementos para elaborarmos a forma do bovarismo brasileiro no século XIX, do qual o personagem Rubião é o expoente tragicômico. O pano de fundo silenciado que atravessa a saga patética de Rubião é a oposição entre senhor e escravo, a qual se desdobra "numa tensão social que impregna toda a sociedade". Uma sociedade atrasada, "por provincianismo ou barbárie, ambos risíveis, sobretudo por sua pretensão de serem adiantados". Para Schwarz, a ambiguidade da posição do narrador machadiano, em *Quincas Borba*, depende de uma apropriação do "esforço analítico e formulador dos iluministas, o trabalho prévio de secularização e unificação enciclopédica do domínio humano – trabalho de cujo espírito esclarecido [nossos personagens] não participam, mas lhe aproveitam os resultados"[32]. Melhor dizendo: trata-se da "incorporação dos *resultados da Aufklärung* [Ilustração] sem o processo correspondente e sob uma diretriz oposta à dela"[33]. Tal diretriz é a manutenção bárbara e já então extemporânea, nos países livres do Ocidente, da escravidão.

Tal recurso faz por desmoralizar os ideais iluministas de que o narrador se serve com propósitos conservadores: "Separada do ímpeto crítico e reformador, a Ilustração troca de sinal, transformando-se em licença"[34]. Vejamos, por exemplo, o primeiro diálogo entre Rubião e o casal Palha, que acabam de se conhecer no trem de Barbacena para o Rio. Comentam o decreto do imperador, que acenava com a

---

[32] Roberto Schwarz, *Um mestre na periferia do capitalismo*, cit., p. 33.
[33] Idem.
[34] Idem, p. 36.

perspectiva futura da Lei dos Inocentes[35], mas mandava respeitar a atual propriedade de escravos. Palha esperava que o próspero interiorano que acabava de conhecer demonstrasse mais apego aos negros que possuía. Para seu grande espanto,

> Rubião não acudiu à [sua] indignação. Era plano deste vender os escravos que o testador lhe deixara, exceto um pajem; se alguma cousa perdesse, o resto da herança cobriria o desfalque. Demais, a fala do trono que ele também lera mandava respeitar a propriedade atual. Que lhe importavam escravos futuros, se não os compraria?

A questão da igualdade de direitos estabelecida pelos ideais iluministas, entre os quais o direito à liberdade ocupa o primeiro lugar, está muito distante da consciência de Rubião, que parodia o cinismo da oligarquia escravocrata no Brasil. A liberdade, ou não, de futuros escravos poderia ser admitida, uma vez que não causaria desfalques importantes à herança que lhe permitia estabelecer-se na capital. Seu desinteresse pelo destino dos futuros escravos revela apenas a indolência do herdeiro.

Trata-se de alienação, de "inocência" do caipira Rubião? Mas que inocência se pode atribuir a um personagem que rapidamente aprende, tão logo se apropria da herança do amigo morto, que "tão certo é que a paisagem depende do ponto de vista, e que o melhor modo de se apreciar o chicote é ter-lhe o cabo na mão"?

O ponto de vista do narrador machadiano é sempre tão acintosamente aliado ao dos que têm o cabo do chicote nas mãos, que acaba por realizar seu propósito de escandalizar o leitor. O que se obtém, novamente segundo Schwarz, é uma mistura de presunções civilizadas, referências ilustradas e conivência inconsciente com práticas atrasadas, que põem a nu o capricho e a volubilidade que norteiam as escolhas das elites brasileiras. Se alguma inocência existe em Rubião, esta decorre das particularidades de sua situação de herdeiro ignorante em relação ao curso social dos privilégios que lhe caíram no colo. As pretensões ilustradas de Rubião expressam bem o bovarismo nacional, no qual a fantasia de uma grande aventura amorosa faz *semblant* de uma sofisticada vida do espírito – inexistente por aqui. A paixão fantasiosa por Sofia funciona como contrapartida "espiritual" ao arrivismo material de Rubião.

> É como se nas circunstâncias brasileiras, caracterizadas pela preeminência da volubilidade, fosse o amor a única forma disponível de plenitude, as outras manifestações do espírito ficando condenadas ao amesquinhamento.[36]

---

[35] Também conhecida como Lei do Ventre Livre.
[36] Roberto Schwarz, *Um mestre na periferia do capitalismo*, cit., p. 64.

Referimo-nos, parágrafos acima, à "fala do trono" do Imperador Pedro II ao proclamar a Lei dos Inocentes. A prolongada escravidão em terras brasileiras foi solidária à longa duração do sistema monárquico em nossas terras. Heloisa Starling e Lilia Schwarcz recordam que, desde a Independência, em 1822, "cercado de repúblicas por todos os lados, o Brasil colocaria no centro do poder um rei, ou melhor, um imperador, para espanto e desconfiança dos vizinhos latino-americanos"[37]. Desde 1822, com a proclamação da Independência, "se uma nova unidade política foi implantada, prevaleceu uma *noção estreita de cidadania*, que alijou do exercício da política uma vasta parte da população e ainda mais o extenso contingente de escravizados. [...] a Independência criou um Estado, mas não uma Nação"[38].

Não foi apenas no Brasil que a burguesia emergente elegeu o amor como simulacro de grandes voos espirituais. Mas, entre nós, o amesquinhamento do espírito a que se refere Roberto Schwarz tem particularidades que merecem análise. De que amesquinhamento do espírito estamos tratando? Evidentemente, da mesquinhez inevitável dos que se colocam, diante do outro, com o cabo do chicote na mão, sem questionar se o uso do instrumento não deveria ser evitado. Nem o amor, nem a pretensa religiosidade da alma brasileira[39], nem a moral sentimental que emana da cordialidade característica de nossas relações de classe são capazes de nos salvar do amesquinhamento produzido pela longa permanência da escravidão no Brasil[40].

No Brasil do Segundo Reinado, a importação de ideias progressistas conviveu longamente com o escravismo. A Baía de Guanabara, no final do século XVIII, foi o maior terminal negreiro da América. Até 1850, o Brasil era o único país independente a praticar o tráfico de escravos: mesmo depois de decretada a ilegalidade do tráfico internacional, o contrabando de africanos continuou sendo negócio altamente lucrativo. A Corte, em meados do século XIX, tinha características de uma cidade quase negra, de uma cidade meio africana. Em 1849, a

---

[37] Heloisa M. Starling e Lilia M. Schwarcz, *Brasil: uma biografia*, cit., p. 222.

[38] Idem; grifo meu.

[39] Cuja elevação espiritual é questionada por Sérgio Buarque de Holanda no capítulo "O homem cordial" de *Raízes do Brasil*, cit., p. 150: "Essa aversão ao ritualismo conjuga-se mal – como é fácil imaginar – com um sentimento religioso verdadeiramente profundo e consciente".

[40] Ainda sobre os três séculos de escravidão e suas consequências duradouras para a sociedade brasileira, ver Heloisa M. Starling e Lilia M. Schwarcz, *Brasil: uma biografia*, cit.

população do Rio de Janeiro contava com 110 mil escravos, num total de 266 mil habitantes: era a maior concentração urbana de escravos no mundo desde o final do Império Romano[41].

A semilegalidade em que perdurou a escravidão no Brasil depois da proibição internacional do tráfico negreiro produziu contradições que, com raras exceções regionais, não desaguaram em conflitos, mas em arranjos que beneficiavam a oligarquia escravista. Na qualidade de "propriedade privada", a condição jurídica do negro ficou sempre ambígua, mesmo depois da Abolição, em maio de 1888. Essa ambiguidade, embora abolida da letra da lei, permanece marcando a posição dos negros na sociedade brasileira, sob forma das mais diversas práticas injustas, inconscientes ou consentidas, que ferem e traumatizam a sociedade até hoje[42].

Segundo Luiz Felipe de Alencastro, o Império precisou inventar meios de capturar o *escravo em sua malha jurídica*. Depois do relativo "progresso" representado pela proclamação da Independência, o escravismo não se apresentou como herança colonial, na forma de vínculo indesejável com o passado – a ser em breve superado –, mas sim como um compromisso para o futuro do Império! "O Império retoma e reconstrói a escravidão no quadro do direito moderno, dentro de um país independente, projetando-a sobre a contemporaneidade."[43] As elites interpretam os ideais de progresso a seu bel-prazer: em vez de fazer coincidir a independência com o fim da escravidão, inventam dispositivos legais capazes de conciliar a barbárie com as exigências do Estado moderno. "O escravismo desmente as ideias liberais", escreve Roberto Schwarz no seu consagrado ensaio "As ideias fora do lugar".

> [...] o que na Europa seria verdadeiramente façanha da crítica, entre nós podia ser a singela descrença de qualquer pachola, para quem utilitarismo, egoísmo, formalismo e o que for, são uma roupa entre outras, muito da época mas desnecessariamente apertada.[44]

É evidente que tal "amesquinhamento do espírito" característico da sociedade brasileira não se resolveu pela via da importação dos costumes, dos modismos e

---

[41] Luiz Felipe de Alencastro, "Vida privada e ordem no Império", cit., p 24-5.
[42] Vale evocar, a respeito, o filme *Quanto vale ou é por quilo?*, de Sérgio Bianchi, lançado em 2005, em que são encenados conflitos entre senhores e escravos extraídos de documentos do Arquivo Nacional em paralelo com situações fictícias da vida contemporânea que expõem a permanência inconsciente da mentalidade escravagista no Brasil até os dias de hoje.
[43] Luiz Felipe de Alencastro, "Vida privada e ordem no Império", cit., p. 17.
[44] Roberto Schwarz, "As ideias fora do lugar", cit.

nem mesmo da melhor produção artística e cultural do Ocidente. "As palavras mágicas Liberdade, Igualdade e Fraternidade sofreram a interpretação que pareceu ajustar-se melhor aos nossos velhos padrões patriarcais e coloniais, e as mudanças que inspiraram foram antes de aparato do que de substância"[45]. A "crença mágica no poder das ideias"[46], cuja importação deveria projetar-nos no cenário da modernidade sem exigir a alteração das nossas práticas sociais, teve o efeito de alimentar o permanente desinteresse das elites cultas pelas questões públicas, permitindo a manutenção de privilégios e de um estilo de dominação pré-modernos cujos expoentes foram o prolongado regime escravista e os abusos derivados dele, mesmo depois da Abolição.

O amor, como signo de grandeza de espírito, tem lugar privilegiado em uma sociedade que se organiza em torno dos valores da vida familiar e cujo papel impessoal do Estado e da Lei perde força diante dos interesses das grandes famílias. Na formação social do Brasil, o espaço público sempre foi secundário em relação ao espaço doméstico. Na segunda metade do século XIX, a sociedade privatizou-se na tentativa de isolar seu estilo de vida doméstica (imitado de Lisboa e de Paris) da paisagem degradada das ruas. A vida "ilustrada" acontecia da porta de casa para dentro – saraus, bailes, mocinhas casadoiras em exibição entre os pretendentes com posses. A rua tornou-se o lugar dos negros e dos pobres[47]. Tal privatização da vida das famílias urbanas de classe média e alta foi, no Brasil, uma continuação do fechamento sobre si mesmas das grandes famílias da oligarquia rural descritos por Sérgio Buarque de Holanda em *Raízes do Brasil*. As consequências da proeminência da ordem privada sobre a ordem pública nos alcançam em pleno século XXI, sobretudo no que toca à separação entre a política e a vida social a que se refere Alberto Torres, citado por Holanda[48].

A vida privada escravista – que, segundo Alencastro, se confunde com a vida familiar das elites – desdobra-se em uma *ordem privada* prenhe de contradições

---

[45] Sérgio Buarque de Holanda, *Raízes do Brasil*, cit., p. 179.

[46] Ibidem, p. 160: "De todas as formas de evasão da realidade, a crença mágica no poder das ideias pareceu-nos a mais dignificante em nossa difícil adolescência política e social. [...] A democracia no Brasil sempre foi um lamentável mal-entendido. Uma aristocracia rural e semifeudal importou-a e tratou de acomodá-la, onde fosse possível, a seus direitos e privilégios, os mesmos privilégios que tinham sido, no Velho Mundo, o alvo da luta da burguesia contra os aristocratas".

[47] Ver, a propósito, o ensaio "Machado maxixe", de José Miguel Wisnik, em *Sem receita: ensaios e canções* (São Paulo, Publifolha, 2004), p.15-105.

[48] Sérgio Buarque de Holanda, *Raízes do Brasil*, cit., p. 178.

com a ordem pública – situação que atravessa todo o Império. No cotidiano das elites no Rio de Janeiro, "a promiscuidade entre vida familiar, festa cívica e horrores do tráfico negreiro é um traço ferino de 'cor local' [...] onde as notas bárbara e bem-pensante se alternam"[49].

Entre os elementos que compõem nossa "cor local", encontramos a importação de modismos europeus, desde que a adesão tardia do Brasil à proibição internacional do tráfico de escravos produziu um excedente de capital que permitiu às elites a compra de bens de luxo vindos da Europa. Em suma: o que deixara de gastar em negros a elite passa a gastar, como observa Alencastro, na importação de pianos para abrilhantar e conferir um toque europeu aos salões – pianos que, na cidade e nas fazendas eram transportados, evidentemente (como ainda hoje), no lombo dos negros.

O Rio do Segundo Império, onde circulam Rubião, Palha, Camacho e Sofia, estava se sofisticando da porta das casas para dentro, o que deu ocasião ao comentário do francês Charles Expilly: "O Rio possui hoje um teatro lírico [...], suas ruas são iluminadas a gás e há um piano em cada casa. É verdade que o teatro está situado em meio a uma praça infecta, [...] que as ruas, sem passeios, são mal calçadas e de pedra bruta e que, afinal, nos pianos [...] não se tocam senão músicas de dança, romanças e polcas"[50].

Porém, como nota Alencastro, a cultura musical brasileira já estava pautada pelos instrumentos e ritmos herdados da longa presença dos africanos entre nós.

> Nessas circunstâncias, na ausência de uma cultura musical europeia, como impedir que os ritmos e os sons africanos, afro-brasileiros, subvertessem as festas religiosas, civis e sociais? [...] A música e a dança afro-brasileiras resultavam de uma prática social, de uma cadência sonora que compassava os trabalhos, os serões, o transporte de gente e de carga, o refluxo do choro, a sublimação da dor, o tédio da espera ao abrigo da chuva, o embalo dos bebês, a viagem para o Além. A onipresença dos ritmos afro-brasileiros derivava da onipresença da escravidão.[51]

Presença marcante, mas não reconhecida pela elite que se pretendia "branca". A propósito, vale lembrar outra figura bovarista da obra machadiana: o pianista Pestana, protagonista do conto "Um homem célebre", de 1896. Pestana era um

---

[49] Roberto Schwarz, *Um mestre na periferia do capitalismo*, cit., p. 112.
[50] Luiz Felipe de Alencastro, "Vida privada e ordem no Império", cit., p. 48.
[51] Idem, p. 45.

músico frustrado porque, embora pretendesse pertencer à estirpe de Mozart e Beethoven, sua fama na sociedade devia-se a seu talento para tocar e compor polcas e maxixes. O "caso Pestana", segundo José Miguel Wisnik[52], "faz pensar também na existência, na obra de Machado, de um verdadeiro *complexo de Pestana*"[53] – "complexo" que não é outro senão a fantasia de ser um *outro músico*, tocando para outra plateia, em outra sociedade que não a brasileira. Mais uma manifestação, em Machado, do bovarismo brasileiro.

No conto "Um homem célebre", como em toda a obra machadiana, a presença do escravo não é diretamente criticada nem denunciada. Mas essa presença, *já infiltrada na cultura nacional*, faz fracassar a pretensão de Pestana de tornar-se um outro, isto é: um músico europeu. A influência negra ressurge sempre, à maneira do retorno do recalcado freudiano, a cada vez que os elegantes frequentadores dos salões insistem para que Pestana toque não uma sonata, mas uma polca – ritmo europeu que, apropriado pelo batuque africano, formou o maxixe.

Wisnik retoma a passagem em que Pestana dispensa, distraído, o escravo que vem lhe servir o café, para dedicar-se a estudar suas partituras de Mozart e Haydn. A rápida passagem realista revela "o cultivo ambicioso de arte burguesa e o escravismo cotidiano"[54]. A elite brasileira tem vergonha das origens multirraciais e da herança negra que atravessa toda a cultura popular (além da genética de inúmeras famílias). Mas não se envergonha de suas práticas racistas e escravistas.

Roberto Schwarz também observa que, no final do século XIX, a vizinhança da escravidão desmoralizava o trabalho livre. A ética do trabalho (pilar da ideologia burguesa) sempre foi desacreditada entre nós. A situação dos pobres, em Machado de Assis, é desalentadora. Em *Brás Cubas* o destino funesto dos remediados revela que a elite

> não deve nada a quem trabalhou, mas quem não trabalhou não tem direito a nada (salvo à reprovação moral). Segundo a conveniência, valem a norma burguesa ou o desprezo por ela.
>
> [...]
>
> Passados os anos, é notório que o fim do cativeiro não transformou escravos e dependentes em cidadãos, e que a tônica do processo, pelo contrário, esteve na articulação

---

[52] José Miguel Wisnik, "Machado maxixe", cit.
[53] Ibidem, p. 30.
[54] Ibidem, p. 58.

de modos precários de assalariamento com as antigas relações de propriedade e mando, *que entravam na nova era sem grandes abalos*.[55]

Assim se formou um tecido social em que a inserção e a ascensão dependiam de favores, caridades arbitrárias, proteção "caprichosa" a alguns agregados, privilégios, tramoias, "supremacias" obtidas de empréstimo. A possibilidade real, nas economias capitalistas, de superar a origem de classe e "tornar-se outro" por meio de trabalho e acumulação foi amesquinhada no Brasil por efeito da desvalorização do trabalho livre. Só a pose, a farsa, a subserviência ou o domínio do *semblant* – modalidades tropicais de bovarismo – oferecem a alguns poucos homens livres a possibilidade de inserir-se. Daí nossa aposta na malandragem como forma de ascensão social, tão finamente apontada por Antonio Candido.

Vale lembrar o personagem Leonardo, anti-herói de *Memórias de um sargento de milícias*, de Manuel Antônio de Almeida – publicado em fascículos entre 1852 e 1853 e editado em livro em 1854. Nessa novela, considerada por Antonio Candido precursora do romance realista no Brasil[56], o protagonista não é um empreendedor, um novo-rico ou um conquistador romântico: é o malandro (Leonardo) nascido "de uma piscadela e um beliscão" e criado pelo padrinho, um barbeiro, entre a baixa classe média carioca. A diferença em relação a Rubião é que Leonardo não tem grandes ilusões sobre si mesmo. "Curtido pela vida, acuado e batido, ele não tem sentimentos, mas apenas reflexos de ataque e defesa."[57] Ao contrário do iludido Rubião, Leonardo é personagem que se deixa levar pelas circunstâncias e aproveita as oportunidades que a vida lhe oferece em um meio social onde, ainda segundo Antonio Candido,

> ordem e desordem se articulam portanto solidamente; o mundo hierarquizado na aparência se revela essencialmente subvertido, quando os extremos se tocam e a habilidade geral dos personagens é justificada pelo escorregão que traz o major das alturas sancionadas da lei para complacências duvidosas com as camadas que ele reprime sem parar.[58]

---

[55] Roberto Schwarz, *Um mestre na periferia do capitalismo*, cit., p. 105 e 226; grifo meu. Ver também, a respeito, Maria Sylvia de Carvalho Franco, *Homens livres na ordem escravocrata* (1964) (São Paulo, Editora Unesp, 1997).

[56] Antonio Candido, "Dialética da malandragem" (1970), em *O discurso e a cidade* (2. ed., São Paulo, Duas Cidades, 1998).

[57] Ibidem, p. 24.

[58] A observação de Candido refere-se à passagem em que o Major Vidigal cede à chantagem da prostituta Maria Regalada.

O interesse pelos cargos públicos não tem nenhuma relação com a responsabilidade pública de quem pretende ocupá-los. Rubião, entediado com a vida no Rio de Janeiro, assistia às sessões do júri ou da Câmara dos Deputados para matar o tempo. Mais tarde, o amigo Camacho convence-o a candidatar-se a deputado. Mas ele sonha com outro tipo de exibição pública. No capítulo LXXXI, mesmo sem ter uma noiva em perspectiva, perde longo tempo a imaginar o fausto de uma futura festa de casamento, a planejar se seria melhor chegar de coche ou de *coupé*, com cocheiro fardado de ouro, condes e condessas entre os convidados. O capítulo lembra o devaneio de Frédéric Moreau, na *Educação sentimental* – mais uma vez, Flaubert –, a contemplar-se no espelho durante um banquete e imaginar que faria uma bela figura vestindo os trajes de membro da Assembleia. A trajetória à deriva de Rubião lembra a de Frédéric, com a diferença de que este chega a Paris com grandes planos, que vai adiando enquanto gasta, a esmo, o dinheiro da mãe – isso em pleno ano de 1848, quando paixões políticas abalavam a cidade. Já Rubião não tem projeto nenhum a não ser seu pequeno arrivismo de caipira chegado de Barbacena a uma capital onde as paixões privadas substituíam qualquer interesse pela vida pública.

Nas últimas obras de Machado de Assis – *Esaú e Jacó*, *Memorial de Aires* –, a Abolição da escravatura e a recente proclamação da República não alteram em nada as relações de classe montadas no período anterior. Vale lembrar o final irônico de *Esaú e Jacó*, quando o dono da "Confeitaria do Império" é alertado para a inconveniência do nome, mantido após a proclamação da República. Concorda, a princípio, que é melhor refazer a tabuleta e escrever "Confeitaria da República". Depois cogita a respeito dos gastos inúteis que poderia ter, caso a recém-proclamada República não durasse muito e se restaurasse a monarquia no Brasil. Por fim, e para não correr o risco de desperdiçar tinta, decide deixar apenas "Confeitaria d". Monarquia e republicanismo se resumem, do ponto de vista da ironia machadiana, a uma questão de tabuletas.

As elites brasileiras sempre conseguiram se arranjar para evitar o trauma de uma ruptura radical com seu sistema de abusos cordiais e privilégios consentidos. A emancipação restrita ao plano das ideias abstratas, "para inglês ver", redundou sempre em novas formas de licença para justificar a exploração pré-moderna do trabalho. Daí o conto da carochinha de que nossa história se escreveu "sem derramamento de sangue", outra forma de expressão do ponto de vista de quem tem nas mãos o cabo do chicote: *sem derramamento do sangue de quem?* Pois o preço de nossa história sem rupturas é o trauma cotidiano da violência silenciosa (hoje, já nem tão silenciosa) das relações de dominação e exclusão que ainda mantêm os privilégios estabelecidos, ou usurpados (nunca conquistados), nos períodos anteriores.

O humor como recurso de crítica social

Por fim, trago uma questão de interesse da psicanálise: será o humor, tão magistralmente empregado por Machado de Assis, um instrumento inquestionável da crítica? A ironia, que desvela a hipocrisia dos costumes e das verdades estabelecidas pelo manejo ambíguo da palavra, conseguiria sempre revelar ao leitor o escândalo capaz de abalar o conforto psíquico das *ideias feitas*?

Para Freud[59], o humor é inseparável de certo inconformismo contra as imposições da "dura realidade da vida". O recurso ao humor possibilitaria o triunfo do *eu* sobre as grandes adversidades da vida. O recurso ao humor seria, do ponto de vista do sujeito desamparado e submetido a forças muito superiores à sua, uma forma de abordar o trauma a partir de uma distância segura. Segura para o *eu*, mas não necessariamente para o indivíduo: a piada que ilustra o texto freudiano sobre o humor é a do prisioneiro condenado à morte em uma segunda-feira que comenta: "Bela maneira de começar a semana!". Nesse comentário irônico o *eu* criativo triunfa, pelo uso da linguagem, sobre a iminência de destruição *real* do indivíduo. O corpo morre, o chiste permanece.

A investigação freudiana conclui que o que possibilita o uso do humor em situações de extrema adversidade seria uma espécie de *cisão do eu*, que permite que o *supereu* se destaque do *eu* que sofre e encare seu fracasso de forma benigna, como um pai compreensivo que sorri diante das trapalhadas e tropeços da criança. Vale lembrar que as cisões do *eu* são mecanismos de defesa característicos das estruturas perversas, que Freud chegou a cogitar serem mais bem-sucedidas para enfrentar os conflitos entre o desejo e a realidade do que a neurose a psicose[60].

Freud valorizou o humor como triunfo simbólico sobre as situações de opressão, nas quais ao sujeito impotente diante do mais forte só resta a onipotência da

---

[59] Sigmund Freud, "El humor" (1927), em *Obras completas*, v. 3 (Madri, Biblioteca Nueva, 1977), p. 2.997-3.000.

[60] Idem, "Lá pérdida de la realidad en la neurosis y en la psicosis" (1924), em *Obras completas*, v. 3, cit., p. 2.745-7.

imaginação. Mas vale ressaltar que essa forma de ironia tem uma origem e um destino diferentes das do humor que visa a produzir uma cumplicidade na abjeção. A cisão do *eu* que se produz no segundo caso favorece o conformismo. O mesmo riso que representa o triunfo do *eu* na adversidade representa a licença cínica nos casos em que o sujeito se beneficia da condição tragicômica que o dito irônico denuncia.

Tomemos o exemplo dos brasileiros que procuram rir das mazelas nacionais comentando, cúmplices, que "este não é um país sério": se o primeiro efeito pode ser o de despertar a consciência nacional para nossas feridas sociais, o hábito do riso não produziria a insensibilização? Uma elite que ri de si mesma, assim como da miséria que a manutenção de seus privilégios produz, não corre o risco de evitar a responsabilidade pelo trauma a partir de uma posição cínica? Como reconhecer a fronteira que separa a autocrítica bem-humorada do mero cinismo?

Nesse caso não é Machado de Assis, e sim Nelson Rodrigues, quem exibe o malabarismo licencioso do humor cínico brasileiro. Em *Bonitinha, mas ordinária*, a famosa "frase do Otto" (Lara Rezende), *o mineiro só é solidário no câncer*, parece, aos olhos do ingênuo Edgar, de um imenso potencial corrosivo. Ele espalha a piada entre os amigos milionários de seu futuro sogro na esperança de confrontá-los com a própria mesquinharia, mas fica chocado ao perceber que o esperado potencial crítico da *boutade* foi absorvido rapidamente pelos frequentadores do clube de tênis, que logo passam a cumprimentar-se, às gargalhadas, com um: "Como vai, mineiro?".

Ou seja: o riso terá um sentido diferente a depender do ponto de vista daquele que ri – o mesmo ponto de vista a que se refere Machado de Assis, em relação ao chicote. Há uma diferença entre o humor do ponto de vista de quem recebe lambadas nas costas e ainda assim é capaz do "triunfo narcísico sobre as adversidades" e o humor satisfeito de quem tem o cabo do chicote nas mãos.

Cabe perguntar que tipo de cisão do *eu* permite que o brasileiro ria das feridas sociais do país em que vive, como se estivesse sempre do lado de quem segura o cabo do chicote – como se não percebesse as lambadas e a humilhação que *também* o atingem. Será o nosso bovarismo social efeito de uma identificação com o opressor não em suas características avançadas (em termos de valores republicanos, lutas igualitárias etc.), mas sim como arremedo das aparências da civilização, conciliadas com a manutenção da versão contemporânea do escravismo em uma sociedade que continua criminosamente desigual?

A recepção de uma obra de arte varia na medida em que a sociedade se adapta ao impacto inicial que ela causou. Flaubert não conseguiu impedir que o escândalo inicial de *Madame Bovary* fosse diluído através de sucessivas leituras, até o estabelecimento de uma certa recepção romanesca do livro entre mocinhas ávidas por histórias de amor[61]. Entre nós eu me pergunto se o riso que permite suportar o trauma não terá mudado de função, desde Machado de Assis, servindo no presente à acomodação das consciências ante a manutenção das condições sociais traumáticas que o escritor expôs com tanta agudeza.

A recepção da obra de Machado, assim como, aliás, da dramaturgia de Nelson Rodrigues, também varia de acordo com a posição do leitor em relação ao cabo do chicote. Vale lembrar, a favor desse argumento, que a recepção dos romances da segunda fase de Machado de Assis sofreu uma guinada importante a partir do trabalho de críticos dos anos 1960 em diante, os quais foram fundamentais para esclarecer o potencial corrosivo da crítica social em sua obra. A primeira recepção da obra de Machado foi conformista, bem ao gosto da nova burguesia brasileira que ostentava fumaças de erudição e cosmopolitismo. A história da crítica, lembra Roberto Schwarz, é uma constante disputa em torno da recepção de uma obra.

Hoje, podemos nos perguntar se o manejo irônico da ambiguidade que possibilita o humor não pode ter se deslocado novamente, de modo a produzir outra forma de cisão do *eu*: a denegação perversa. Esta pode servir para facilitar nosso conformismo ilustrado: nós, os leitores contemporâneos, podemos nos acostumar alegremente com as diversas versões da "frase do Otto" enquanto nos eximimos da responsabilidade e continuamos a nos beneficiar da dominação cordial, das práticas de licença e supremacia, dos pactos sociais de conveniência.

---

[61] Esse foi, aliás, o argumento usado por *maître* Sénard, advogado de defesa de Flaubert, no julgamento do processo movido pelo Ministério Público de Paris contra o romance *Madame Bovary* por ofensas à moral e aos bons costumes, em janeiro e fevereiro de 1857. Com muita habilidade, *maître* Sénard se vale dos casos de *misreadings* do romance de Flaubert para apresentá-lo como uma novela moralista, cujo principal objetivo seria o de advertir as mães e os educadores sobre os efeitos nefastos de certas leituras inadequadas nas mãos de mocinhas inocentes.

2.
Dois casos de antibovarismo na cultura brasileira

A preguiça na cadência do samba

> *O contrário do burguês não era o proletário, era* o boêmio.
>
> (Oswald de Andrade)

A ideia de escrever sobre o tema da preguiça nas letras de samba do início do século XX foi a resposta que inventei para o desafio lançado por Adauto Novaes, quando propôs, em 2010, um ciclo de palestras com o tema "Elogio da preguiça". Como quase todos os participantes dos ciclos promovidos por ele[1] são filósofos, o elogio à preguiça foi interpretado como uma defesa das condições do pensamento. Para grande parte dos filósofos, o valor da preguiça repousa (repousa?) no fato de ela ser entendida como recusa das atividades produtivas em prol das atividades mais nobres do devaneio e da reflexão. A imagem da preguiça é a do corpo em repouso – enquanto a cabeça trabalha.

Não tenho certeza de que a mera recusa ao trabalho braçal e à atividade física deva ser associada à preguiça. Quantas pessoas não preferem agitar o corpo a fazer a cabeça trabalhar? Os exemplos vão desde os casos anedóticos daqueles que perdem uma tarde a lavar louça e varrer a casa para não começar a escrever a tese até as graves *passagens ao ato*, às vezes violentas, dos que usam os músculos para descarregar angústias e excitações que não conseguem simbolizar.

---

[1] Com apoio operacional de Hermano Taruma e Thiago Novaes, do escritório Artepensamento.

Por outro lado, será apropriado falar de preguiça no caso de uma atividade da qual o corpo participa de maneira tão intensa – canto, ritmo, instrumentos – ou mesmo frenética – alguns modos de dançar – quanto o samba? Se quem não gosta de samba é "ruim da cabeça ou doente do pé"[2], como podemos associá-lo com o elogio da preguiça?

O fato é que a preguiça é tema de uma variedade enorme de sambas, desde que o gênero foi batizado como tal, no início do século XX. É verdade que raramente ela aparece com esse nome. A exaltação da preguiça no samba é feita sob a forma de diversos apelidos: malandragem, boemia, orgia, vadiagem. Não se refere à inação nem às diversas formas de retirada do mundo elogiadas por filósofos da estatura de Montaigne e Pascal. A preguiça do sambista não se apresenta nas formas da lassidão, do repouso, da inatividade do corpo. Muito menos, do afastamento do mundo – o belo "Samba e amor", de Chico Buarque, é uma exceção no gênero, tanto rítmica (trata-se de um samba-canção) quanto temática ("Escuto a correria da cidade, que arde/ e apressa o dia de amanhã/ De madrugada a gente ainda se ama/ e a fábrica começa a buzinar..."). Aqui o sambista, na década de 1970, é um moço de apartamento, que se refugia nos braços da amada enquanto a cidade ferve, muitos metros abaixo de sua cama. Seu elogio à preguiça, embora claramente diferenciado do discurso da malandragem a que vou me referir, mesmo assim presta homenagem ao que se pode chamar de "lugar-comum" do samba tradicional carioca: a incompatibilidade entre samba, amor e trabalho.

É essa a tradição que vou privilegiar aqui. Nos sambas a que me refiro a seguir, a preguiça aparece sob os nomes de orgia, malandragem e boemia, a misturar vadiagem e sociabilidade, bebedeira e trabalho criativo (quantos sambas não foram compostos em parcerias espontâneas, ao longo da madrugada, em mesas de bar?), sensualidade malemolente (bela palavra que já soa preguiçosa) e destreza no domínio de algum instrumento de corda ou percussão.

É uma forma nobre de preguiça em que o corpo se entrega ao ritmo, em que o tempo longo da noite (um turno oposto ao horário da fábrica e do trânsito que buzina no samba-canção de Chico) transcorre sem peias, sem acenar com a angústia com que nos acomete o tempo vazio: é um tempo sincopado, marcado pelo ritmo característico do samba. O ritmo confere outra marcação à passagem das horas, diferente daquela dos relógios. "Repetição sem tédio", como alguém certa vez definiu o rock'n'roll. Sambar, tocar, cantar a noite toda, sem preguiça

---

[2] "O samba da minha terra", Dorival Caymmi.

nenhuma, é uma forma de vadiagem que escapa à polarização atividade/inatividade e, em troca, opõe trabalho a prazer, uso útil do tempo a desperdício inútil das horas que o relógio se esquece de marcar e cuja passagem o corpo não dá sinais de reparar. Preguiçoso, o sambista? Que nada: incansável! "Pois então saiba que não desejamos mais nada/ à noite a lua prateada/ silenciosa, ouve as nossas canções..."[3] "O sol da Vila é triste, samba não assiste/ porque a gente implora/ Sol, pelo amor de Deus não vem agora, que as morenas vão logo embora..."[4]

O protesto pela chegada do sol, que inaugura o dia de trabalho e encerra a noite de boemia, é comum nas letras dos sambas pelo menos até que a política repressiva do Estado Novo passasse a censurar abertamente o elogio da malandragem e incentivar os compositores a gravar sambas de exaltação à pátria (Ary Barroso) e ao trabalho. É o caso de "O bonde de São Januário", de Wilson Batista e Ataulfo Alves (1940), exceção entre os temas recorrentes nas composições de ambos: "Quem trabalha é que tem razão/ eu digo e não tenho medo de errar/ o bonde são Januário leva mais um operário/ sou eu que vou trabalhar". Aqui se escuta um elogio ao trabalho, motivado pela política de incentivo ao tema do "bom crioulo", ou do "malandro regenerado", durante o Estado Novo. Segundo Cláudia Matos[5], durante o primeiro governo de Getulio Vargas "abriam-se novos canais de divulgação para os compositores populares, com cachês compensadores", desde que os sambistas aderissem aos temas incentivados pelo Departamento de Imprensa e Propaganda (DIP). Há quem diga que a paródia do samba dizia "leva mais um otário" e que a substituição de "otário" por "operário" foi feita "a pedido do DIP"[6].

Mas o Estado Novo não é o período que pretendo abordar aqui. O tema da preguiça no samba exige que nos debrucemos sobre as duas décadas marcadas pela origem do samba urbano carioca: de meados dos anos 1910 até meados dos anos 1930.

O samba é sociável e ativo. Nunca excluiu de sua roda a companhia da ralé, embora tenha feito um esforço para sair da senzala e alcançar o gosto das classes médias, sobretudo a partir da década de 1920. Mas sua origem é vira-lata. Os primeiros sambistas que se identificavam como tais viviam entre (ou eram)

---

[3] "Sala de recepção", Cartola.
[4] "Feitiço da Vila", Noel Rosa.
[5] *Acertei no milhar: malandragem e samba no tempo de Getulio* (Rio de Janeiro, Paz e Terra, 1982), p. 91.
[6] Ibidem, p. 92.

vagabundos, prostitutas e cafetões, cachaceiros e golpistas, gente miúda vivendo de pequenos serviços, de trapaças no jogo e – até mesmo – da venda de sambas.

O desprezo pelo trabalho, recorrente nas letras dos primeiros sambas-maxixe (mais adiante explicarei essa denominação), pode ter duas origens diferentes, porém combinadas. A primeira e mais evidente seria a ideia de que as letras de samba refletiriam e difundiriam uma ideologia de recusa da servidão em uma geração de negros descendentes de pais ou avós escravizados. Lembremos que, vergonhosamente, a escravidão no Brasil só foi abolida no final do século XIX, em 1888; antes disso, a Lei do Ventre Livre, de 1871, em vez de proporcionar uma vida mais digna aos filhos dos africanos nascidos depois do 28 de setembro daquele ano, produziu uma situação anômala, na qual os proprietários de escravos não se sentiam no dever de manter junto às mães as crianças "libertas", que, a depender da maior ou menor boa vontade de seus senhores, poderiam ter a sorte de serem criadas, livres da escravidão, nas casas e fazendas onde suas mães serviam ou seriam abandonadas nas ruas sem nenhuma proteção, nem dos senhores, nem do Estado. Os primeiros menores abandonados no Brasil foram os filhos da chamada Lei dos Inocentes[7].

Outra deformidade social causada pela escravidão foi a situação do trabalhador livre, que, diante da facilidade da mão de obra escrava, não encontrava ocupação fixa na sociedade. Nas grandes cidades escravocratas, como Salvador e Rio de Janeiro, essas populações deserdadas da ordem social organizavam a vida como podiam, em cortiços e (mais tarde) favelas, criando uma sociabilidade própria, entre ritos religiosos e festas profanas a partir dos restos reprimidos de suas culturas de origem.

Escreve Joaquim Nabuco, a respeito dos escravos que migraram das fazendas para as cidades: "Essa população foi por mais de três séculos acostumada a considerar o trabalho no campo como próprio de escravos. Saída quase toda das senzalas, ela julga aumentar a distância que a separa daqueles, não fazendo livremente o que eles fazem forçados"[8].

Assim se estabeleceram as bases materiais para a compreensão do tema da degradação do valor do trabalho no Brasil do início do século XX. Por um lado, o trabalho era visto pelos mais pobres como um castigo opressivo, por conta do vício e da vergonha do longo período escravagista. A isso vêm se somar duas situações que em nada contribuíam para valorizá-lo: o desemprego

---

[7] Ver Emília Viotti da Costa, *A abolição* (8. ed., São Paulo, Editora da Unesp, 2008), capítulo 5, "O abolicionismo. Segunda fase: a Lei do Ventre Livre", p. 51-60.

[8] Joaquim Nabuco, *O abolicionismo* (1883) (Rio de Janeiro, BestBolso, 2010), p. 142.

em que se encontraram os descendentes de escravos depois da Abolição e a desvalorização do trabalho braçal, pago miseravelmente a uma grande parcela da população que, duas ou três gerações atrás, era forçada a trabalhar sem pagamento nenhum (situação que, devemos reconhecer, persiste em muitas regiões do Brasil até hoje).

"Cocorocó, o galo já cantou/ levanta nego, cativeiro já acabou...", assim canta Clementina de Jesus em "Cocorocó", de autoria de Paulo da Portela. A mulher tenta acordar o marido para o trabalho porque o "senhorio" não tem clemência e virá cobrar o aluguel. Mas o homem, negro liberto da escravidão, aproveita o fim do cativeiro para dormir mais um pouco. O maxixe cantado por Clementina sugere que, mesmo em liberdade, a vida do trabalhador braçal era (e ainda é) dura demais. "Nego" não quer se esforçar tanto por um salário tão pequeno.

Sendo assim, "Pra que trabalhar"? Nesse samba de Assis Valente, o cantor se queixa do salário curto, que nem lhe permite pagar o bonde para ir à sua escola predileta: "Lá se vai meu dinheiro/ e eu vou pro Salgueiro a pé".

De 1870 a 1920

A origem do que, mais tarde, veio a se chamar de samba foi a zona rural. A começar pelas rodas de canto e dança que animavam o escasso tempo livre entre trabalhadores das fazendas na Zona da Mata da Bahia. Eram rodas feitas de improviso, algumas com função religiosa – como no caso dos terreiros de candomblé –, cuja primeira tradição musical eram os lundus de origem africana. Na capital baiana, Salvador, havia uma enorme concentração de escravos de origem muçulmana, os malês. A violenta repressão à chamada Revolta dos Malês, em 1835 – o maior levante de escravos urbanos das Américas, raramente mencionado nas aulas de história –, levou grande número de negros fugitivos para a região rural do Rio[9]. Estes, recém-chegados à capital, não tiveram sorte melhor que os escravos domésticos que circulavam pela cidade. Segundo Juliana Barreto e os coautores de *Cidades negras*, o medo de insurreições, nas grandes cidades, gerava epidemias de pânico – as quais, por sua vez, potencializavam o protesto escravo[10].

Segundo Luiz Fernando Vianna, o êxodo baiano que tem origem após a repressão à Revolta dos Malês "teve seu papel no crescimento acelerado da popula-

---

[9] Ver, a respeito, Juliana Barreto Farias et al., *Cidades negras: africanos, crioulos e espaços urbanos no Brasil escravista do século XIX* (São Paulo, Alameda, 2006), p. 138.
[10] Ibidem, p. 51.

ção no Rio: eram 2.120 de um total de 247.972, em 1870; 10.633 entre 522.561, em 1890; e seriam 12.926 entre 1.157.973, em 1920"[11].

Na medida em que o país se urbanizava, ainda que precariamente, houve outras migrações de negros – levados como escravos e, a seguir, libertos – para as capitais (Salvador, Rio de Janeiro). A Abolição lançou nas ruas do Rio de Janeiro, maior cidade negra fora da África em finais do século XIX, um enorme contingente de homens "livres" do trabalho forçado e, por isso mesmo, desamparados, desempregados ou subempregados, para quem a vadiagem não tinha necessariamente o sentido de recusa ao trabalho. Era uma condenação.

Essas populações de escravizados e ex-escravizados, quando não moravam na casa dos patrões, não tinham moradia nem ocupação nas áreas centrais da cidade. Concentravam-se nos subúrbios, em áreas degradadas e, mais tarde, nas encostas dos morros. As festas da Penha – que no século XIX pertencia à área rural do Rio de Janeiro –, celebradas nos domingos do mês de outubro, reuniam os antepassados daqueles que vieram a ser os primeiros sambistas (ainda não com esse nome), junto com tocadores de fados, modinhas portuguesas, lundus, cateretês do sertão de Minas, catiras nordestinas. Luiz Fernando Vianna relata que aos poucos os elementos da cultura portuguesa, na Penha, foram substituídos pela cultura africana:

> A crescente presença negra fazia o largo [da Penha] parecer um "arraial africano". Já no ano de sua chegada no Rio, Tia Ciata fez sua primeira visita à festa da Penha. Após tornar-se uma referência na Cidade Nova, ela passou a montar, todo domingo de outubro, sua barraca de quitutes ao lado de outras baianas. Segundo a reconstituição de Roberto Moura, o grupo baiano assistia à missa ao lado dos católicos portugueses e depois, fora da igreja, fazia suas reverências aos orixás.[12]

Também João da Baiana[13] foi assíduo frequentador das festas da Penha. Segundo Lira Neto, o compositor teria recebido voz de prisão em um dos domingos em que estava a caminho da festa da Penha. Acusação: vadiagem (num domingo...?).

---

[11] Luiz Fernando Vianna e Bruno Veiga, *Geografia carioca do samba* (Rio de Janeiro, Casa da Palavra, 2004), p. 19.

[12] Ibidem, p. 32.

[13] Apelido de João Machado Guedes, filho da baiana Perciliana e futuro companheiro de Donga e Pixinguinha. Ver Lira Neto, *Uma história do samba*, v. 1: *As origens* (São Paulo, Companhia das Letras, 2017), p. 70.

A simples posse de um instrumento de percussão podia ser interpretada como indício de vagabundagem. Como provou ter emprego fixo, João da Baiana não foi recolhido à delegacia. Mas, para seu desconsolo, teve apreendido o pandeiro de estimação.[14]

A partir de 1918, o novo capelão da Penha, José Maria Martins Alves da Rocha, fez de tudo para acabar com a festa "profana" dos negros da Penha[15] – que em alguns domingos ainda tinham a ousadia de desfilar em romaria pelo centro *afrancesado* da cidade. Vianna cita pesquisa de Raquel Soihet, segundo a qual:

> Era enorme o aparato policial e militar [...] montado na Penha nos domingos de outubro. O objetivo primordial era evitar a desordem, mas não raro as brigas eram provocadas pelos próprios praças e soldados, por embriaguez e/ou excesso de energia repressiva.[16]

No final do século XIX, em parte por conta da ocupação e valorização das terras até então ociosas na região da Penha, os contingentes de ex-escravos que, apesar da repressão, se divertiam em rodas de candomblé ou de cantorias recreativas, começaram a se movimentar da periferia para o centro, "da roça à cidade, das províncias à capital federal, dos negros ao povo; movimento que se consumará na criação, entre 1917 e o início da década de 1930, do samba urbano carioca"[17].

Os descendentes de escravos expulsos da Penha começaram a alojar-se em regiões degradadas onde hoje é o centro do Rio, em especial o bairro da Saúde. O que hoje se conhece como "favela" teria sido, no final do século XIX, "filha direta dos cortiços"[18]. O maior cortiço do centro do Rio foi o Cabeça de Porco, demolido em 1893, "menos uma edificação do que um aglomerado de barracos, sobrados, puxados e outras edificações precárias onde viviam, de acordo com algumas versões, mais de 4 mil pessoas misturando trabalho e moradia"[19].

---

[14] Idem.

[15] O capelão não foi uma voz isolada contra as festas da Penha. Lira Neto cita a observação do suíço-alemão Carl Seidler, autor de *Dez anos no Brasil*, "Imaginem-se as mais detestáveis contrações musculares, sem cadência, os mais indecentes requebros das pernas e braços seminus, os mais ousados saltos, as saias esvoaçantes, a mímica mais nojenta, em que se revelava a mais crua volúpia". Ver ibidem, p. 39.

[16] Luiz Fernando Vianna e Bruno Veiga, *Geografia carioca do samba*, cit., p. 33.

[17] Carlos Sandroni (2001), *Feitiço decente: transformações do samba no Rio de Janeiro (1917-1933)* (2. ed., Rio de Janeiro, Zahar, 2012), p. 94.

[18] Ver, a respeito, Luis Kehl, *Breve história das favelas* (São Paulo, Claridade, 2010), p. 31.

[19] Ibidem, p. 33.

Luis Kehl observa que as primeiras favelas surgiram nas áreas rurais do Rio de Janeiro, ao final do século XIX, a começar pelo morro de Santo Antonio, onde os soldados egressos da Guerra de Canudos construíram barracos para morar. As ocupações dos morros do centro do Rio de Janeiro intensificaram-se depois que o prefeito Pereira Passos, eleito em 1902, executou uma grande obra de urbanização do centro da cidade[20], que resultou no "bota-abaixo" de centenas de cortiços e casinhas miseráveis para transformar ruas, becos e vielas nas grandes avenidas que hoje se conhecem. O modelo do prefeito Passos, aprovado por Rodrigues Alves, foi a famosa "reurbanização" do centro de Paris feita pelo prefeito Haussmann, no reinado de Napoleão III, mencionada indiretamente em diversos poemas de Baudelaire[21].

De acordo com Vianna[22], a reforma do centro do Rio abriu a atual avenida Rio Branco, a avenida Beira-Mar, a Mem de Sá, a Rodrigues Alves; a abertura dos elegantes bulevares custou a demolição de 1.300 casas e cortiços, tendo deixado 14 mil pessoas sem moradia[23].

Outra consequência do "bota-abaixo", segundo Vianna, foi a grande concentração de famílias negras na região da praça Onze, na Cidade Nova. Mais tarde, a casa de Tia Ciata na Cidade Nova virá a se tornar um ponto de encontro importante para a primeira geração de sambistas cariocas. E Tia Ciata não foi a única baiana em cujo quintal os descendentes de escravos se reuniam para praticar seus ritos e festas. Quanto à natureza de tais ritos e festas, a pesquisa de Roberto Moura[24] não deixa margem a dúvidas: na origem do samba brasileiro, desde a Bahia até o Rio de Janeiro, sempre esteve o candomblé. E como não estaria? No início da década de 1870, por exemplo, a província do Rio de Janeiro já abrigava mais de 300 mil escravos[25]. Já em 1890, apenas dois anos depois da Abolição, a população do Rio contava com 34% de negros (mesmo assim, menos do que Salvador, com 66,49% de negros)[26]. Não é de espantar que a Cidade Nova abrigasse continuamente festas

---

[20] Da qual, aliás, participou meu bisavô, o engenheiro Francisco Bicalho – pai de meu avô tocador de violão e avô dos três tios maternos a quem devo a memória de inúmeros sambas citados aqui.

[21] Ver, a respeito, Walter Benjamin, "Sobre alguns temas de Baudelaire" em *A modernidade e os modernos* (trad. Heinddrun Krieger Mendes da Silva, Arlete de Brito e Tania Jatobá, Rio de Janeiro, Tempo Brasileiro, 1975), p. 37-76.

[22] Luiz Fernando Vianna e Bruno Veiga, *Geografia carioca do samba*, cit., p. 16.

[23] Ibidem, p. 17.

[24] Roberto Moura, *Tia Ciata e a Pequena África no Rio de Janeiro* (Rio de Janeiro, Funarte, 1983).

[25] Ibidem, p. 17.

[26] Ibidem, p. 60.

de rituais africanos. Nestas, ainda segundo a pesquisa de Moura, as mulheres tinham papel importante. "Tia Bebiana e suas irmãs de santo, Mônica, Carmen do Xibuca, Ciata, Perciliana, Amélia e outras, que se encontravam no terreiro de João Alabá [quando iam à Bahia tratar de suas 'coisas de santo'] formam um dos núcleos principais de organização e influência sobre a comunidade"[27].

O sambista João da Baiana, por exemplo, conta que, na casa de dona Perciliana, sua mãe, todos "cantavam muito, pois sempre estavam dando festas de candomblé"[28].

Mas a expansão da cultura africana não foi tranquila: o samba era proibido, e as tias eram "obrigadas a tirar licença com o chefe da Polícia para dar suas festas"[29].

Por conta dessa concentração de famílias descendentes de africanos, a região que ia da zona portuária até a Cidade Nova foi batizada, segundo a expressão de Heitor dos Prazeres, de "Pequena África". Embora as obras de remodelação da cidade exigissem a contratação de muitos trabalhadores braçais, nem sempre os descendentes de escravos, expulsos de malocas e cortiços, conseguiam trabalho ali. "Quem trabalhava mais mesmo era o português, espanhóis, essa gente. Não era fácil, eles não gostavam de dar emprego pro pessoal preto da África, que pertencia assim à Bahia, eles tinham aquele preconceito", disse Tia Carmem (Carmem Teixeira da Conceição)[30]. Seria a preguiça, a falta de vontade de trabalhar ou o preconceito a causa da desocupação da população negra expulsa do centro do Rio? Heitor dos Prazeres, famoso pintor e sambista, também se queixou de discriminação, em depoimento ao Museu da Imagem e do Som: "Sou do tempo da aprendizagem, que agora é difícil. Quem sabia mais ensinava, o que viria a gerar a formação de grupamentos de pessoas em torno de certos ofícios que se tornaram tradicionais no grupo baiano da Praça Onze, Zona do Peo, na Saúde"[31]. Assim, a malandragem, a "viração" e a sociabilidade vadia que deram origem ao samba também tinham sua origem no preconceito e na falta de oportunidades de trabalho sofridos pela população negra.

E na repressão. As práticas culturais que os descendentes de escravos ainda conservavam incomodavam a sociedade escravista que se pretendia civilizada.

---

[27] Ibidem, p. 63.
[28] Idem.
[29] Idem.
[30] Citada por Roberto Moura, em *Tia Ciata e a Pequena África no Rio de Janeiro*, cit., p. 45.
[31] Ibidem, p. 46.

Era aos cultos de origem africana que se dirigia a repressão, em nome do catolicismo oficial, da intolerância em relação aos costumes que não eram os da ordem branca e portuguesa [e] das ambições de se fazer do Rio uma capital europeia, sem vestígios aparentes de África. [...] A casa de Tia Ciata era marcada por seu trabalho de candomblé, e a música que acontecia nas festas não estava dissociada disso.[32]

Nos salões, o maxixe
Na outra ponta da desigualdade social, nos bailes e salões onde se reuniam as elites e classes médias cariocas, os ritmos tradicionais da polca e do lundu abrem passagem para o maxixe, um parente afro-brasileiro da polca. Se hoje o maxixe nos parece um ritmo inocente, sua introdução nos salões do Rio de Janeiro não se deu sem certo escândalo.

O maxixe, cuja marca rítmica era o uso da síncopa típica das danças africanas, veio a dar origem aos sambas da primeira geração. A síncopa (que também participa do lundu, um ritmo mais lento) se define pela acentuação rítmica da música num ponto em que o ritmo básico normalmente *não seria acentuado*. Isto é: a acentuação rítmica não corresponde às acentuações ou subdivisões do compasso. Esse deslocamento da acentuação rítmica surpreende o ouvido e também o corpo. Pode ocorrer pela acentuação de uma nota ou pela ausência de nota no lugar onde deveria cair uma acentuação forte[33]. É justamente por causa da síncopa que o maxixe supera a polca no gosto popular, já que essa quebra rítmica convoca o requebrado típico das danças africanas. Além disso, o maxixe era dança de "par enlaçado", enquanto o lundu, também africano, mas de raízes rurais/coloniais, se dançava em roda, sem enlaçar o par. O maxixe surge no Rio, em meados do século XIX, e é logo considerado pela elite e pelas classes médias como muito vulgar, de "baixa categoria" – talvez por conta do ritmo sincopado, que induzia o corpo a requebrar de modo muito diferente dos passos marcados da polca, por exemplo. Segundo Vianna, o maxixe era

> uma dança pra lá de sensual, segundo os padrões do Rio na virada do século XIX para o XX. Segundo o jornalista Raul Pederneiras, a dança teria surgido na Cidade Nova, sendo também atribuída aos negros. Como é fácil imaginar, o maxixe foi considerado uma obscenidade pela turma que sonhava com a "sociedade civilizada". Com o tempo,

---

[32] Luiz Fernando Vianna e Bruno Veiga, *Geografia carioca do samba*, cit., p. 21.
[33] Para uma definição mais detalhada da síncopa, ver Carlos Sandroni, "Premissas musicais", em *Feitiço decente*, cit., p. 21-39.

caiu no gosto da burguesia [...] e virou até fator de orgulho nacional, depois que o dançarino Antonio Amorim Diniz, o Duque, fez sucesso em Paris, a metrópole dos abastados.[34]

Vale lembrar a música de salão que é personagem coadjuvante em "Um homem célebre", de Machado de Assis, de 1870[35]: nesse conto, o personagem principal, o compositor carioca Pestana, persegue o ideal da música clássica, mas ganha fama por suas polcas e maxixes, que os frequentadores dos salões adoram dançar. Quando se senta ao piano para compor um noturno, os dedos parecem correr sozinhos pelo teclado, ao ritmo contagiante do maxixe. O título de uma polca tocada por Pestana para animar um jantar de aniversário é "Nhonhô, não bula comigo", alusão de Machado ao tema do abuso sexual dos senhores sobre as escravas.

Tema frequente, aliás, nas letras das primeiras modinhas, das polcas dançantes, dos lundus e, mais tarde, do maxixe. Tomo alguns exemplos do livro de Carlos Sandroni[36]: "Yoyozinho, vá-se embora/ que eu não gosto de brincar/ Não venha com seus carinhos/ minha reza atrapalhar", ou: "Ah, meu Deus, sinhô Juquinha/ Você é os meus pecados/ Vá-se embora, já lhe disse/ não me queira dar cuidados./ As artes do Sinhô Moço/ são mesmo artes do demônio/ não me posso livrar delas/ nem rezando a Santo Antonio". Brincar, bulir, "matar", são expressões alusivas à tentação sexual que o senhor exerce sobre a escrava que mal consegue resistir. Nem sempre porque o sedutor fosse irresistível: no mais das vezes, em obediência à lei do mais forte. O resultado evidente do abuso dessas artes ilícitas foi o surgimento, no Brasil, da figura do mulato/mulata, desde sempre associados ao samba, ao dengo e à sedução.

O samba
Uma das hipóteses sobre a origem da palavra samba também é que seja africana. Era usada no interior do Brasil para nomear um folguedo que conjuga batuque, dança de roda e a sensual "umbigada" – gesto cujo nome de origem angolana, *semba*, derivou na palavra *samba* –, testemunha de seu nascimento entre as danças profanas afro-brasileiras. Quando algumas versões do lundu e do maxixe já eram aceitas em "sociedade" (no Rio de Janeiro), o samba ainda era desconhecido. Até o final do século XIX, o ritmo e a dança eram vistos como um "signo do atraso rural" pelos moradores da capital.

---

[34] Luiz Fernando Vianna e Bruno Veiga, *Geografia carioca do samba*, cit., p. 24.
[35] Ver, a respeito, José Miguel Wisnik, "Machado maxixe", cit.
[36] Carlos Sandroni, *Feitiço decente*, cit., p. 77.

O samba cantado se insere na grande corrente da tradição oral que caracteriza todas as formas de transmissão cultural entre os escravos – em sua significativa maioria, analfabetos. Aliás, observamos que até hoje a música popular, que em nosso país recobre a vida social com um discurso paralelo ao da política, da economia, do consumo, dos modismos em geral, guarda a força da tradição oral na cultura brasileira. A música popular cria sua própria zona de discurso, que, com ajuda do rádio, da tevê, das redes sociais, mas também da propagação boca a boca, pinta a aquarela de um outro Brasil no qual o Brasil real se reconhece, como num espelho melhorado, comunitário, popular, autocrítico. Não necessariamente feliz – mas alegre.

A Praça Onze foi o local onde, desde 1870, os cultos do candomblé se misturavam às rodas de samba; ali se originaram os primeiros blocos carnavalescos que provocaram uma importante transformação no ritmo do samba: do samba que se dançava em roda, no mesmo lugar, para o samba "de sambar".

O samba é filho da vadiagem; esta, entre a população da "Pequena África", não era apenas uma opção existencial ou sintoma de preguiça: era praticamente um destino para os milhares de desempregados e subempregados que moravam em cortiços da região. No entanto, a opção pela malandragem não era tranquila para os descendentes de escravos: o código penal de 1890 (dois anos depois da Abolição...) "trazia um capítulo inteiro, com seis detalhados artigos, destinado a coibir o chamado 'crime de vadiagem'"[37]. Segundo Lira Neto, "Os implicados na 'Lei da Vadiagem' ficavam sujeitos à prisão por um mês e, findo o prazo, ao sair da cadeia, eram obrigados a firmar o compromisso de 'tomar ocupação dentro de quinze dias'"[38].

Escreve Artur Ramos, sobre a nova sociabilidade que se criou em volta da Praça Onze:

> Perseguido pelo branco, o negro no Brasil escondeu suas crenças nos terreiros das macumbas e dos candomblés. O folclore foi a válvula pela qual ele se comunicou com a civilização branca. [...] Principalmente no Carnaval. Todos os anos a Praça Onze de Junho, no Rio de Janeiro, recebe a avalanche dessa catarse coletiva. [...] A Praça Onze é uma grande trituradora [...] que *elabora o material inconsciente e prepara-o para sua entrada na civilização*. A Praça Onze é o censor do inconsciente negro-africano. É a

---

[37] Lira Neto, *Uma história do samba*, v. 1, cit., p. 70.
[38] Idem.

fronteira entre a cultura negra e a branco-europeia, fronteira sem limites precisos, onde se interpenetram instituições e se revezam culturas.[39]

No livro de Carlos Sandroni encontramos uma série de informações sobre a mudança, do samba de estilo antigo (paradigma do *tresillo*[40]) de origem rural, marcado pela batida do maxixe, tocado nos terreiros das casas das "tias" baianas, para o paradigma do Estácio. O autor refere-se ao "movimento que conduziu [o samba] da periferia ao centro da vida social: da roça à cidade, das províncias à capital federal, dos negros ao povo: movimento que se consumará na criação, entre 1917 e o início da década de 1930, do samba urbano carioca"[41].

As já mencionadas "tias" oriundas da Bahia tiveram grande importância no período em que o samba nasceu. Os migrantes do Nordeste que se aglutinaram na "Pequena África" mantinham, na capital federal, fortes laços de solidariedade e uma sociabilidade ainda provinciana. O mais famoso ponto de encontro de sambistas foi a já mencionada casa da Tia Ciata, na rua Barão de Itaúna. Hilária Batista de Almeida foi uma negra de classe média baixa, nascida em Santo Amaro da Purificação (Recôncavo Baiano), cujo marido chegou a estudar dois anos de medicina. Além de doceira e curandeira ligada ao candomblé, Tia Ciata ficou famosa por abrir sua casa para uma variedade de festas com músicas para os gostos da classe média branca e dos negros[42]. (Vale lembrar outras tias que tiveram alguma presença nos eventos que originaram o samba: Amélia, mãe de Donga, e Perciliana, mãe de João da Baiana.) Embora o candomblé fosse fortemente reprimido na época, o terreiro de Tia Ciata teria sido liberado depois que ela convocou seus orixás para curar a perna doente do então presidente Venceslau Brás – um acontecimento que mostra também a escassa diferenciação *cultural* entre as classes no Brasil da República Velha. De acordo com Sandroni[43], a posição profissional de João Batista da Silva teria contribuído para que a residência do casal se tornasse "um ponto de referência no universo negro carioca no início

---

[39] Citado em Carlos Sandroni, *Feitiço decente*, cit., p. 110; grifo meu.

[40] Como não domino a teoria musical, prefiro remeter o leitor às páginas 30-3 do livro de Sandroni, em que o autor explica o *tresillo*, ritmo próprio do maxixe, que caracteriza a primeira fase do samba carioca.

[41] Carlos Sandroni, *Feitiço decente*, cit., p. 94.

[42] Para uma descrição mais detalhada das festas na casa de Tia Ciata, ver Lira Neto, *A história do samba*, v. 1, cit., p. 40-2.

[43] Carlos Sandroni, *Feitiço decente*, cit., p. 104.

do século XX". Poetas como Manuel Bandeira e Mário de Andrade referiam-se àquelas festas com admiração.

As festas na casa de Tia Ciata eram divididas em vários ambientes, nos quais se mantinha a hierarquia entre os frequentadores. "Baile na sala de visitas, samba de partido-alto nos fundos da casa e batucada no terreiro"[44]. "As baianas davam a festa com as seguintes características: tinha samba na casa de fulana, então tinha choro também. No fundo [do quintal] tinha também batucada"[45]. O baile na sala de visitas seria "mais civilizado", o samba na sala de jantar ainda se parecia com as polcas amaxixadas do conto de Machado; já o "batuque" no quintal podia misturar cantos de candomblé com rodas de capoeira ou de "partido-alto" acompanhadas de palmas; no fundo do quintal também se podia dançar a umbigada. Foi nesse ambiente que o samba firmou suas primeiras características marcantes, que exercem, é claro, forte fascínio entre os frequentadores das salas "da frente", pela oportunidade de desrepressão sexual que ofereciam aos brancos educados nos termos da moral católica. A transição entre os três ambientes de casas como a da Tia Ciata, para Sandroni, recobria essa "polarização entre o espaço público e a intimidade"[46]. "Samba de partido-alto/ só vai cabrocha que samba de fato/ só vai mulato filho de baiana/ e gente rica de Copacabana"[47].

Os primeiros sambas urbanos tocados nas casas de Tia Ciata e de outras "tias" baianas, desde finais do século XIX, eram acompanhados de certa formação instrumental próxima ao erudito, com participação de flauta e rabeca, por exemplo. Pixinguinha, um dos músicos de maior destaque nesse período, tinha formação musical erudita. Já na segunda década do século XX, o samba que começa a se fazer no Estácio era todo apoiado por instrumentos rítmicos de origem africana – como o pandeiro, o bumbo, o surdo e a inovadora cuíca, esta nascida no Brasil. Nesse segundo tempo, também se situa uma transformação rítmica que supera o paradigma dos lundus e maxixes característicos dos sambas tocados nos quintais das antigas "tias". Foi quando se deu a introdução da síncopa, a quebrar a regularidade do ritmo tradicional (contrametricidade) e induzir o corpo dos sambistas ao *requebrado* que caracteriza antigas modalidades de danças africanas.

---

[44] João da Baiana, citado em Humberto Franceschi, *Samba de sambar do Estácio: 1928 a 1931* (Rio de Janeiro, IMS, 2010).
[45] Donga, citado em Carlos Sandroni, *Feitiço decente*, cit., p. 105.
[46] Idem.
[47] Pixinguinha, "Samba de fato".

Ora, se admitimos, com a maioria dos pesquisadores, que a tendência à contrametricidade é, na música das Américas, traço de origem africana, será necessário ver nessa passagem [...] uma "africanização", pois o paradigma do Estácio é muito mais contramétrico do que o do *tresillo*.[48]

Ao ler essa passagem em Sandroni, pensei imediatamente que a introdução da síncopa e dos instrumentos de percussão no samba do Estácio poderiam corresponder ao que, em psicanálise, se chama de "retorno do recalcado" da cultura africana trazida pelos escravos, transmitida a seus descendentes no século XX, mas até então recusada como marca de um passado que se quer apagar – e que a população branca, no período, rejeitaria.

Logo a seguir, encontrei em Sandroni duas hipóteses que falam em recalcamento. O primeiro seria o recalcamento do próprio ritmo do samba, "por ser muito mais contramétrico que o outro [...], pois o ouvido tende a rejeitar ou reinterpretar informações excessivamente diferentes dos padrões habituais numa cultura"[49]. Em seguida, o autor formula a hipótese do recalcamento que coincide com minha impressão:

> [...] pois sua "diferença excessiva" remetia a seus portadores – os negros, escravos até 1888, marginalizados desde então – no que possuem de irredutível, de desconhecido, de incontrolável. Finalmente, o ritmo em questão foi submetido ao que poderíamos chamar de *recalcamento estético*, pois, mostrando de maneira demasiado gritante a "música de negros", ele fazia-se atribuir a mesma inferioridade atribuída a seus portadores. De todas essas "atribuições" há inúmeros exemplos na literatura. Eles são manifestações verbais do recalque da música afro-brasileira, assim como a ausência de registros de ritmos "demasiado" contramétricos, antes de 1930, é manifestação musical do mesmo recalque.[50]

Sandroni observa que o então já centenário lundu, do qual se originaram a polca-lundu e o maxixe, também "ostentou seu negrismo moderado".

Mas a contrametricidade característica do samba do Estácio foi um compromisso bem mais ostensivo, a meu ver, entre "as polirritmias afro-brasileiras e a linguagem musical do rádio e do disco", permitindo que "pessoas como Ismael Silva, Cartola e outros malandros em via de profissionalização exibissem sua dife-

---

[48] Carlos Sandroni, *Feitiço decente*, cit., p. 223.
[49] Idem.
[50] Ibidem, p. 224; grifo meu.

rença, afirmando que o que se fazia era samba, não maxixe. Contribuiu também para que o Brasil, que quarenta anos antes conhecia ainda a escravidão, passasse a outra etapa de sua identidade cultural, integrando dados até então excluídos".

Vale ainda perguntar se o *retorno do recalcado* representado pela inclusão da contrametricidade na música popular nos anos 1930 representou também uma forma de elaboração/reparação da vergonha social brasileira por seu horrendo passado escravagista ou apenas, bem conforme nosso tradicional "jeitinho" de contornar conflitos, uma forma alegre e prazerosa de deixar tudo bem.

Aqui, quando os conflitos não acabam em pizza, podem acabar em samba.

A invenção do malandro

O malandro, personagem popular nos subúrbios, nos morros e no centro do Rio de Janeiro, era forçado a viver na base do improviso, entre a ilegalidade e a miséria, entre a oferta de pequenos serviços mal pagos e de trabalho braçal pesado e igualmente mal pago. Ou, na falta de ambos, a inventar uma série de expedientes à margem da legalidade, que formavam o núcleo material da "malandragem": jogo, cafetinagem de mulheres, pequenos furtos, pequenos golpes para extorquir algum tostão dos trabalhadores um pouco menos famintos que eles. Outra ocupação já estabelecida naquela época entre os ex-escravos mais fortes era a de cabos eleitorais de políticos locais. Segundo Humberto Franceschi, a tradição da malandragem teve origem entre os antigos escravos soldados, "oriundos das revoltas do início da República", lutadores da capoeira de Angola que prestavam serviços aos políticos locais. "Uma outra geração formada vinte anos depois (já no século XX) toda descendente de ex-escravos e mantida na mesma condição social [...] conduzia-se por conta própria sem mais depender exclusivamente dos políticos locais. Dessa geração surgiu o malandro carioca."[51]

Entre as diversas características presentes na origem do "personagem" malandro, o ponto comum é a criação de um "mundo sem culpa", retratado com graça no romance de Manuel Antônio de Almeida, *Memórias de um sargento de milícias*, elogiado por Antonio Candido em seu conhecidíssimo ensaio "Dialética da malandragem"[52].

---

[51] Humberto Franceschi, *Samba de sambar do Estácio*, cit., p. 227.
[52] Antonio Candido, "Dialética da malandragem", *Revista do Instituto de Estudos Brasileiros*, São Paulo, n. 8, p. 67-89, jun. 1970; disponível em: <http://www.revistas.usp.br/rieb/article/view/69638/72263>, acesso em 16 jul. 2017.

O primeiro samba a ultrapassar o quintal das "tias", no morro, e cair no gosto popular foi o famoso "Pelo telefone". O sucesso da gravação de "Pelo telefone" no Carnaval de 1917 abriu o precedente para uma nova ocupação do malandro talentoso: sobreviver à custa do samba. A inauguração da Rádio Sociedade do Rio de Janeiro, em 1922 (em comemoração do 7 de Setembro, no governo Epitácio Pessoa), possibilitou que os sambas criados no Estácio, na Mangueira e na Vila Isabel ultrapassassem os limites da transmissão oral e caíssem no gosto da classe média branca. As vendas de discos efetuaram a transformação do samba popular em mercadoria.

Donga, por sinal, foi o primeiro compositor de sambas a se destacar da tradição comunitária, da música composta no improviso nas rodas de samba, música sem autoria e sem formato fechado, ao assinar *em seu nome* o primeiro samba a fazer sucesso, que teria nascido numa roda na casa de Tia Ciata: justamente o famoso "Pelo telefone"[53]. Por iniciativa de Donga, o samba foi gravado pela primeira vez em 1917, tendo alcançado grande sucesso no Carnaval daquele ano. Mas a autoria do samba, ou do maxixe, foi objeto de polêmica entre os participantes das rodas de samba da Praça Onze: "até aparecerem, para desconsolo de Donga, outros bambas reclamando para si a primazia de serem os verdadeiros criadores de 'Pelo telefone'"[54].

Vale observar que Donga, assim como seu parceiro João Pernambuco, viveram durante muito tempo em situação de grande penúria. Quando foram despejados do quarto de uma casa de cômodos na rua do Riachuelo (nem aquele aluguel conseguiam pagar), levaram toda a mudança em um simples carrinho de mão[55]. Segundo Lira Neto, os dois desempregados transformaram "a adversidade em festa: empunharam os respectivos violões e, improvisando uma espécie de carnaval fora de época, revezaram-se no transporte das quinquilharias até um novo endereço [...] os vizinhos foram se juntando ao grupo, atraídos pela música, auxiliando-os com a retirada dos cararecos"[56].

A apropriação individual da criação coletiva feita por Donga foi alvo de protestos por parte de outros frequentadores da casa de Tia Ciata, inclusive o famoso Sinhô, que alguns anos mais tarde se tornaria o mais conhecido compositor po-

---

[53] Roberto Moura, *Tia Ciata e a Pequena África no Rio de Janeiro*, cit., p. 54.
[54] Lira Neto, *Uma história do samba*, v. 1, cit., p. 91.
[55] Ibidem, p. 76.
[56] Ibidem, p 76-7.

pular, merecedor do apelido de "rei do samba". De acordo com Roberto Moura, Sinhô pode ser considerado o "filho do meio [...], elemento de transição entre o maxixe que morria, morto a pau pelas investidas moralizadoras da sociedade, e o samba que nascia, perseguido pela polícia. Pioneiro, nasceu, cresceu e viveu lá, e até seu velório ocorreu na Cidade Nova"[57].

Depois da gravação de "Pelo telefone", Tia Ciata, Sinhô e outros sambistas publicaram uma carta no *Jornal do Brasil*, em 4 fev. 1917, em protesto contra a apropriação indébita de Donga. A resposta de Donga foi uma pérola de malandragem: "Recolhi um tema melódico que não pertencia a ninguém e o desenvolvi...". Em outro depoimento: "ofereceu-se a oportunidade... porque a hora era aquela".

Que "hora" era essa? O momento da passagem do samba ingênuo, coletivo e pedestre, ao samba autoral, com partituras vendidas para fazer sucesso no Carnaval e, logo mais, ser tocado nos rádios e gravados em discos. Anunciava-se o fim do sambista espontâneo e o nascimento do sambista profissional, do samba moderno "com autor, gravação, acesso à imprensa, sucesso no resto da sociedade"[58]. Nascia o samba-mercadoria no Brasil. E que, mesmo assim, não deixava de se identificar com a malandragem, como veremos.

Mutações de uma letra de samba
Volto a "Pelo telefone", que, em razão de sua origem coletiva, ganhou várias versões de letras, criadas de improviso em rodas de samba informais. A começar pela mais conhecida: "O chefe da folia pelo telefone mandou me avisar/ que com alegria não se questione para se brincar".

Conforme contam Franceschi, Vianna, Lira Neto e Roberto Moura, essa primeira versão inocente foi logo substituída por uma paródia mais maliciosa: "O chefe da polícia pelo telefone mandou me avisar/ que na Carioca tem uma roleta para se jogar".

Era uma referência maliciosa à permissividade da polícia do Rio de Janeiro, que fizera vista grossa a uma roleta instalada no centro da cidade por repórteres do jornal *A Noite* com a finalidade declarada de provar a inutilidade de proibir o jogo no Rio de Janeiro. Na época, os jogos de azar estavam proibidos, mas os

---

[57] Idem.
[58] Carlos Sandroni, *Feitiço decente*, cit., p. 120.

passantes foram convidados a apostar sem serem incomodados pela polícia. No dia seguinte, publicou-se no jornal: "O jogo é livre".

Os versos do samba continuavam com a provocação: "Ai, ai, ai, o chefe gosta da roleta/ Ô maninha/ Ai, ai, ai/ ninguém mais fica forreta/ Ô maninha/ Chefe Aureliano/ Sinhô, sinhô/ é bom menino/ Sinhô, sinhô/ Faz o convite [...]/ Pra se jogar [...] / De todo jeito [...]/ O bacará/ Sinhô, sinhô"[59].

Depois do episódio da roleta, foi criada ainda uma terceira versão, que mais tarde foi alterada outra vez para acusar Donga pela apropriação indébita do samba coletivo. Assim se cantava originalmente: "Tomara que tu apanhes/ pra não tornar a fazer isso/ tirar amores dos outros/ depois fazer seu feitiço". Depois da "traição" da venda do samba por Donga, o final da estrofe virou: "Assinar o que é dos outros/ e esquecer o compromisso"[60].

O sucesso de "Pelo telefone", primeiro "samba-mercadoria" do Brasil, conforme a expressão de Sandroni, não impediu que a polícia continuasse a perseguir os sambistas "vagabundos" e a dissolver as rodas de samba, como contam João da Baiana ("preso várias vezes por tocar pandeiro"), Cartola ("O samba naquela época era coisa de malandro e marginal") e Noel Rosa ("A princípio o samba foi muito combatido, considerado distração de vagabundo"). A relação entre o samba e a recusa ao trabalho já estava estabelecida em definitivo.

Uma característica dos primeiros sambas, de criação improvisada e coletiva, era a ausência de relação temática e musical. Depois da primeira quadra de "Pelo telefone", outras estrofes foram acrescentadas, sem nenhuma relação de continuidade entre elas. "Ai, ai, ai, deixa as mágoas para trás, ó rapaz/ ai, ai, ai, fica triste se és capaz e verás [...]/ Olha a rolinha, sinhô, sinhô, se embaraçou, sinhô, sinhô/ pobre avezinha, sinhô, sinhô, nunca sambou". No final: "Mas este samba/ é de arrepiar/ põe a perna bamba/ mas faz gozar".

Malandragem também é "roubar" para si a autoria de uma criação coletiva. É importante dizer que a criação coletiva era a marca dos primeiros sambas,

---

[59] Lira Neto, *Uma história do samba*, v. 1, cit., p. 92.
[60] De acordo com Lira Neto, a segunda versão da letra, com críticas a Donga, seria: "Pelo telefone a minha boa gente/ mandou me avisar/ que o meu bom arranjo era oferecido/ para se cantar/ Ai, ai, ai! Leve a mão/ à consciência/ meu bem/ ai, ai, ai... por que/ tanta presença/ meu bem!/ Ó que caradura de dizer nas rodas/ que esse aranjo é teu?/ É do bom Hilário e da velha Ciata/ Que o Sinhô escreveu/ Tomara que tu apanhes/ Pra não tornar a fazer isso/ Escrever o que é dos outros/ e esquecer o compromisso"; ibidem, p. 94-5.

compostos de improviso pelos participantes de uma festa ou de uma roda, ao ritmo de palmas, sem preocupação autoral e sem exigência de coerência ou continuidade entre as suas "partes", que se emendavam livremente de acordo com a dinâmica do improviso coletivo. Mas o próprio Sinhô, depois da desavença com Donga (que não constituiu rompimento entre os dois), chegou a defender a apropriação individual de temas coletivos, dizendo: "Samba é que nem passarinho: é de quem pegar".

Vejamos uma sequência de sambas da primeira fase (1919-1927), de autoria indeterminada porque coletiva, surgidos no quintal da casa da famosa Tia Ciata. Seus autores? Donga, Sinhô, Heitor dos Prazeres, João da Baiana. Na gravação que encontrei, os sambas estão assinados por Sinhô, mas cada trecho tem uma melodia diferente, o que é sugestivo da variedade dos autores.

> Não se deve amar sem ser amado/ é melhor morrer crucificado/ Deus me livre das mulheres de hoje em dia/ desprezam o homem só por causa da orgia!/ Gosto que me enrosco de ouvir dizer/ que a parte mais fraca é a mulher/ mas o homem com toda fortaleza desce da nobreza e faz o que ela quer.
>
> Ora vejam só, a mulher que eu arranjei/ ela me faz carinhos até demais/ chorando ela me pede, meu benzinho/ deixa a malandragem se és capaz/ A malandragem eu não posso deixar/ juro por Deus e Nossa Senhora/ É mais fácil ela me abandonar/ Meu Deus do Céu, que maldita hora.

Essa pequena sequência de sambas, que na minha infância ouvia meus tios maternos cantarem ao violão, emendando um ao outro como se fossem um só, são na verdade três sambas amaxixados de autoria coletiva, gravados em nome de Sinhô. As invenções coletivas surgiam nas rodas de samba, antes que as gravadoras começassem a comprar dos sambistas essas criações e a gravá-las com o nome dos supostos autores. Com frequência, o cantor Francisco Alves "comprava" os sambas para gravar e colocava seu nome junto ao do compositor. Outras vezes, simplesmente excluía o nome do compositor e assinava sozinho. Os sambistas, sempre necessitados de dinheiro, vendiam os sambas e não reivindicavam a autoria, orgulhosos, segundo Vianna[61] e Roberto Moura, de ter sua música cantada pelo grande Francisco Alves. Os sambas bem conhecidos, gravados como sendo de Sinhô, defendem a orgia e a malandragem contra a tendência disciplinadora das mulheres, contra a boemia e a favor do "batente". A alegre recusa do sam-

---

[61] Luiz Fernando Vianna e Bruno Veiga, *Geografia carioca do samba*, cit., p. 44-7.

bista a obedecer aos pedidos da amada ("É mais fácil ela me abandonar") cativa o ouvinte, que se esquece que as mulheres sempre pagaram pelos excessos dos companheiros malandros.

A mulher que dá duro no batente, preocupada com o que dar de comer aos filhos, enquanto o homem escapole de casa e some na orgia é tema de alguns belos sambas – alguns melancólicos, outros cheios de amorosa resignação ("Camisa amarela", "Com açúcar, com afeto" etc.). O mais triste deles aprendi com minha mãe, e nem no Google consegui achar o compositor: "Isso é papel, João/ papel que se faça/ com essa carestia/ jogar meu dinheiro no chão?/ Olha pros neguinhos/ barriga vazia/ coquinho pelado, roupinha surrada/ pezinho no chão...".

"Se você jurar", de Ismael Silva e Nilton Bastos (1931), propõe um acordo com a mulher: "Se você jurar que me tem amor/ eu posso me regenerar/ mas se é para fingir, mulher/ a orgia assim não vou deixar". Aqui, o sambista diz à mulher: só vale a pena deixar a orgia por um amor sincero.

Segunda geração de sambistas: o samba do Estácio
A grande concentração de negros em uma área mais central da capital federal aconteceu no bairro da Cidade Nova, região de mangue aterrado em 1860 que logo abrigou uma multidão de escravos e ex-escravos, pequenos funcionários e trabalhadores braçais, subempregados e desempregados, prostitutas e jogadores, tornando-se o bairro mais populoso da cidade na década seguinte. Em razão da origem social de sua população, a Cidade Nova (que, como já dissemos, Heitor dos Prazeres batizou de "Pequena África") também se tornou um centro de "diversões de má fama". A dança dos negros descendentes de escravos não tinha prestígio entre os brancos e só era tolerada nos teatros de variedades e clubes carnavalescos. Foi nesse meio que se deu a passagem do maxixe ao samba, que ainda não se parecia com o samba atual, criado no começo do século XX.

Mas volto um pouco à origem da segunda geração de compositores cariocas. As rodas de samba e batuque, com ou sem cultos religiosos, que deram origem ao primeiro bloco carnavalesco (o Deixa Falar), aconteciam nos fundos da primeira Escola Municipal do Rio, a Benjamin Constant (demolida em 1938). Ali havia uma balança e um bebedouro para animais de carga que traziam carregamentos vindos do cais. O tablado de madeira da grande balança de pesar carroças carregadas, também usado como palco para rodas de capoeira, facilitava a dança, já que o "piso pé de moleque" que revestia o restante do chão da escola não permitia que os pés deslizassem com facilidade. No século XX, a crescente concentração da população pobre na região da "Pequena África" fez daquele bairro o berço de um novo tipo de samba: o "samba de sambar" do Estácio, de ritmo compatível com a movimentação dos blocos (Ismael Silva), que, segundo Franceschi, abalou profundamente os principais compositores até a década de 1920, como Sinhô, Donga e Caninha. Diálogo suposto entre Donga e Ismael Silva: "Isso não é samba, é maxixe" ("Pelo telefone"). "Isso não é samba, é marcha" ("Se você jurar"). Mais tarde, em entrevista a Sergio Cabral, Ismael – um dos poucos representantes longevos da segunda geração – resumiu a diferença rítmica assim: "O samba antigamente era assim: tan-tantantan/ tan-tantantan. Depois virou: bumbumpaticunbum burugudum"[62] (tema de um samba-enredo do Estácio nos anos 1970).

Pertenciam à segunda geração de sambistas Ismael Silva, Bide (Alcebíades Barcelos), Brancura (Silvio Fernandes) e Nilton Bastos, da região do Estácio, além de frequentadores de outras regiões, como Cartola (da Mangueira), Noel Rosa (Vila Isabel), Wilson Batista (que veio de Campos para viver na Lapa) etc. O culto à malandragem entre esses sambistas, alguns de classe média baixa como Noel, também vinha do fato, entre real e lendário, de que no Brasil da Primeira República os ricos não trabalhavam. Como diz o samba de Ciro de Souza e Babaú, grande sucesso no Carnaval de 1938: "Ai, ai, meu Deus, tenha pena de mim /todos vivem muito bem, só eu que vivo assim/ Trabalho e não tenho nada/ não saio do miserê/ Ai, ai, meu Deus/ isso é pra lá de sofrer".

Se o trabalho não impede que se viva no miserê, então mais vale viver na malandragem. Ismael Silva tem duas canções complementares em louvor à malandragem, contra o trabalho. "Se eu precisar algum dia/ de ir pro batente/ não sei o que será/ pois vivo na malandragem/ e vida melhor não há" ("O que será de mim", 1931). A ideia de que fazer samba não é trabalho, é prazer que não requer esforço e não encontra dificuldades entre os verdadeiros boêmios, é bem ilustrada por um depoimento de Ismael sobre outra de suas composições:

> Minha música sai assim, quando não estou pensando em música, como uma coisa que viesse e me botasse na mente, [...] acabei de beber um café, fiquei sentado olhando pra a rua, de repente comecei assim, naturalmente: "Nem tudo o que se diz se faz...". Tá vendo? Letra e música, já tudo junto; daí parei aí – "eu digo e serei capaz" – capaz de quê? A conclusão não acabei naquele dia, levei três dias pra encontrar o final, sem

---

[62] Sérgio Cabral, *As escolas de samba no Rio de Janeiro* (Rio de Janeiro, Lumiar, 1996), p. 242.

poder terminar. No terceiro dia, eu andando na rua e aí veio o final: "de não resistir, nem é bom falar/ se a orgia se acabar". Nada de forçar, tudo bem espontâneo.[63]

Daí saiu o conhecido samba "Nem é bom falar", de Ismael Silva, com Nilton Bastos e Francisco Alves. Entre 1928 e 1935, Ismael gravou mais de cinquenta músicas, sozinho ou em parceria. O grande cantor de todos esses sambas, que "comprava" a parceria para ter seu nome de coautor nos discos (como no exemplo acima), era, como sempre, Francisco Alves.

O tema da malandragem, como lembra Cláudia Matos, não é tão simplesmente o reflexo direto das condições de vida dos primeiros compositores de samba do Rio de Janeiro. A preguiça no samba é um *discurso*, e assim deve ser entendida. O elogio da boemia, da vadiagem e da malandragem seduz o ouvinte de classe média não apenas pela ginga, pela cadência, pela sensualidade e pelo remelexo do samba, mas também pela figura carismática do sambista malandro, que escolhe uma vida de prazeres ao preço de muita pobreza, mas despreza a disciplina, o trabalho e até mesmo o dinheiro.

Ao contrário do proletário, cujos interesses estão ligados aos aspectos materiais da vida (e, se fizer a revolução, será em nome deles), o boêmio é o antifilisteu. Sua pobreza não resulta do salário baixo nem de qualquer forma de abnegação, e sim da experiência positiva com tudo aquilo que *o dinheiro não pode comprar*. A começar pela liberdade. O boêmio é capaz de trocar tudo, até o amor, só para não deixar a tal da "orgia".

Esse quadro foi bem nítido pelo menos até a década de 1930, quando o rádio passou a divulgar os sambas para outros ouvintes, fora do morro e dos becos boêmios da cidade, o que favoreceu o surgimento de sambistas dos bairros de classe média. Essa inclusão social do samba foi promovida, em primeiríssimo lugar e com grande empenho, pelo genial Noel Rosa. Noel foi um compositor profissional, branco, de classe média – não vivia no morro, e sim na tradicional Vila Isabel. Mas seus sambas também faziam o elogio da boemia, de modo que o sucesso de Noel, ainda em sua curta vida, em nada afetou a associação entre os blocos de Carnaval, o samba, a vadiagem e a malandragem. Ainda na década de 1930, os blocos eram obrigados a fazer registro na polícia antes de desfilar. Para obter a licença, tinham de cumprir algumas condições, como a de não falar de malandragem nem estimular a vadiagem.

---

[63] Humberto Franceschi, cit., p. 64.

Quando Noel se tornou compositor profissional, um tema de larga tradição dominava a música popular: a malandragem. Até a Abolição, a ordem social era rígida: os escravos trabalhavam, os senhores mandavam e o restante da sociedade ficava à margem do processo de produção, sem produzir regularmente nem ter acesso ao poder.[64]

Franceschi afirma que um dos preconceitos infundados contra os sambistas era o de que seriam todos analfabetos. O autor cita um auto de prisão revelador de tal preconceito:

> Perambulava pela cidade sem destino, na mais completa ociosidade, sendo vadio contumaz e jogador de chapinha incorrigível que não tem arte, ofício ou ocupação honesta [...] vivendo exclusivamente do produto de jogos ilícitos; sempre encontrado na mais completa ociosidade na zona do baixo meretrício em todas as horas do dia e em companhia de jogadores profissionais e outros elementos nocivos à sociedade.[65]

Ora: os tais marginais que não têm arte eram justamente aqueles artistas que, em menos de quatro anos, revolucionariam a música carioca e, em consequência, a música brasileira.

Noel Rosa, moço de classe média que tentou mostrar ao mundo branco que o samba da Vila Isabel era um "feitiço decente"[66] ("sem farofa, sem vela e sem vintém"), não deixou, entretanto, de associar a imagem do sambista à vadiagem, à preguiça, ao avesso do mundo do trabalho: em Vila Isabel, o povo pede que o sol "pelo amor de Deus não venha agora, que as morenas vão logo embora".

A paixão pelas noitadas de samba sem hora para terminar e o envolvimento apaixonado dos sambistas com as primeiras escolas de samba motivavam uma atitude de desprezo dos descendentes de escravos e seus companheiros de pobreza em relação às regalias do mundo dos endinheirados. Esse tema, retomado por Chico Buarque no famoso "Quem te viu, quem te vê", foi lindamente retratado por Noel no samba "O X do problema". A letra é cantada por uma personagem feminina que se recusa a deixar a escola de samba do Estácio para casar-se com um pretendente rico: "Você tem vontade/ que eu abandone o largo do Estácio/ pra

---

[64] Jorge Caldeira, *Noel Rosa: de costas para o mar* (São Paulo, Brasiliense, 1982).
[65] Humberto Franceschi, cit., p. 159.
[66] A respeito da polêmica sobre ser racista a expressão "feitiço decente", em Noel (o branco decente em oposição ao negro macumbeiro), ver Carlos Sandroni, "O feitiço decente", em *Feitiço decente*, cit., p. 171-87.

ser a rainha de um grande palácio/ dar um banquete uma vez por semana/ Nasci no Estácio/ não posso negar minha raça de sangue/ você pode crer/ palmeira do mangue não vive na areia de Copacabana". Aqui, não se trata propriamente da *preguiça*, mas da atitude que também a justifica: a desvalorização de tudo o que o trabalho e o dinheiro podem conquistar (além de, no caso, um casamento conveniente) diante dos prazeres irrecusáveis do samba.

Além de malandro, o personagem urbano que corresponde ao universo do samba não poderia deixar de ser boêmio. O oposto do burguês não é o proletário, escreveu Oswald de Andrade. O oposto do burguês é o boêmio. Só ele encarna o desapreço pelo conforto e pelo dinheiro, a recusa a se deixar explorar, a aceitação da pobreza como preço pago pelo encantamento de uma vida livre ligada à orgia, à poesia, ao amor e à música.

O próprio Noel não deixou de compor várias músicas em que o personagem narrador é um vagabundo sem dinheiro para nada. Mas, em vez do grande malandro, Noel vai preferir falar das pequenas malandragens do cidadão em meio à grande miséria geral, à "prontidão sem fim"[67]. A expressão, aliás, é usada no samba "Filosofia", em que o cantor reafirma sua posição apesar de saber que paga caro por ela: "O mundo me condena, e ninguém tem pena/ falando sempre mal do meu nome/ deixando de saber se eu vou morrer de sede/ ou se vou morrer de fome./ Mas a filosofia hoje me auxilia/ a viver indiferente assim/ Nessa prontidão sem fim/ vou fingindo que sou rico/ pra ninguém zombar de mim".

A que "filosofia" se refere o título? À do vagabundo pobre, que não vende sua liberdade nem se curva para bajular os endinheirados. Apesar do lamento daquele que vive na "prontidão sem fim", o samba termina com uma orgulhosa profissão de superioridade: "Quanto a você da aristocracia/ que tem dinheiro, mas não compra alegria/ há de viver eternamente sendo escravo dessa gente/ que cultiva a hipocrisia".

São incontáveis os sambas em que Noel Rosa, sempre na primeira pessoa, exibe com humor e ironia sua condição de vagabundo: "O orvalho vem caindo, vai molhar o meu chapéu/ e também já vão sumindo as estrelas lá do céu/ tenho passado tão mal/ a minha cama é uma folha de jornal". Assim canta o "poeta da Vila", com bom humor, a pobreza a que está condenado o sambista – e que só se torna um problema quando ele tem de resolver "com que roupa eu vou ao samba que você me convidou?". "Com que roupa", aliás, o primeiro samba de sucesso de Noel, nasceu sob o signo de uma certa preguiça por parte do compositor: a

---

[67] Jorge Caldeira, *Noel Rosa*, cit., p. 31.

primeira versão da melodia, sem que ele percebesse, era idêntica aos primeiros compassos do Hino Nacional Brasileiro. Tente o leitor cantar, na melodia do nosso Hino, a introdução: "Eu hoje estou pulando como sapo".

O personagem desse que foi o primeiro samba de sucesso gravado por Noel nem cogita em trabalhar para comprar uma roupa nova. Contava com "o português" que sustentava sua amada, e que agora "foi-se embora e levou seu capital", deixando o casal de boêmios a ver navios – e de roupa surrada.

A famosa polêmica de Noel com Wilson Batista ficou mais conhecida por conta dos sambas em que o compositor afirmava, diante do moço bonito recém-chegado de Campos dos Goytacazes, o valor de sua Vila Isabel. Batista e Noel compuseram sambas discordantes a respeito, justamente, do valor da malandragem[68]. O jovem mulato boa-pinta tentou se entrosar no mundo boêmio da Lapa declarando-se um verdadeiro malandro: "Meu chapéu do lado/ tamanco arrastando/ lenço no pescoço/ navalha no bolso/ eu passo gingando/ provoco e desafio/ eu tenho orgulho/ em ser tão vadio/ [...] Eu sou vadio porque tive inclinação/ Eu me lembro, era criança/ tirava samba-canção".

Não se sabe se por ciúme, por orgulho de boêmio que recusa imitações ou se por puro espírito de provocação, Noel rebateu o samba do novato posando de moralista, a aconselhar o compositor:

> Deixa de arrastar o teu tamanco/ pois tamanco nunca foi sandália/ E tira do pescoço o lenço branco/ Compra sapato e gravata/ joga fora essa navalha, que te atrapalha/ Com chapéu do lado deste rata/ Da polícia quero que escapes/ Fazendo samba-canção/ Já te dei papel e lápis/ arranje um amor e um violão/ Malandro é palavra derrotista/ que só serve pra tirar todo o valor do sambista/ proponho ao povo civilizado/ não te chamar de malandro/ e sim de rapaz folgado.

Mesmo assim, observem que o ofício sério que Noel recomenda a Wilson Batista, para combater a pecha de malandro, é o de compositor. O sambista, a essa altura já consagrado, não aconselhava o pretenso malandro a procurar emprego. O que Noel procura é dissociar a imagem do sambista da do malandro, sempre sujeito a cair nas mãos da polícia por crime de vadiagem. Malandro, palavra derrotista?

Mas o mesmo Noel, na consagrada "Conversa de botequim", encarna o sambista vagabundo que passa a tarde na mesa do bar a pedir uma dúzia de favores ao

---

[68] Recomendo, a quem quiser ouvir as músicas e a história dessa polêmica, os dois CDs gravados por Henrique Cazes e Cristina Buarque: *Sem tostão: a crise não é boato* (1992) e *Sem tostão 2... a crise continua* (2001).

garçom (média e pão com manteiga, recados ao escritório, o placar do jogo e até "algum dinheiro, que eu deixei o meu com o bicheiro"), para terminar com "vá dizer ao seu gerente/ que pendure esta despesa/ no cabide ali em frente".

Uma ameaça cerca o sambista, escreve Jorge Caldeira: "Nego largou a batucada e já bate a fome [...]. Agora, o malandro se preocupa, no seu samba, quase tanto com o dinheiro quanto com a mulher", teria dito Noel[69].

Noel não foi só o "branqueador" do samba carioca, no sentido de ter desvinculado o samba da favela e da cultura negra. Ele criou o samba moderno. Inscreveu na tradição oral da cultura carioca a crônica cantada da vida da ralé, no Rio de Janeiro, com graça, humor e ironia. Há quem diga que Noel Rosa está para o samba como Machado de Assis para a literatura. Sambas de grande comicidade, como "Gago apaixonado" ou "Tarzan, o filho do alfaiate", convivem com "Três apitos" (a moça é operária, seu apaixonado é "do sereno, poeta muito soturno/ vou virar guarda-noturno/ e você sabe por quê"), "Último desejo" e "Feitio de oração", que nasceram clássicos.

Noel Rosa elevou a vadiagem à categoria do sublime. Na biografia escrita por Almirante (que participou do grupo Bando de Tangarás, no início da carreira de Noel), há uma passagem em que o compositor, depois de uma roda de samba com amigos em Belo Horizonte, não conseguiu chegar à casa onde se hospedava e dormiu sob o viaduto da Floresta. Foi acordado por um guarda-noturno. Reproduzo o diálogo entre o compositor e a pequena autoridade municipal, na versão de Almirante:

– Teje preso.
Ao tom da ordem da lei, Noel reagiu:
– Preso por quê? Eu não fiz nada.
– Justamente por isso. É desocupado. Vai preso porque está dormindo na rua.
– Mas, seu guarda – apelou o boêmio –, estou só dando um cochilo. Já vou pra casa.
– Nada disso. Tá preso. Onde estão seus documentos?
Ainda zonzo de sono, Noel rebuscou pelas algibeiras, sacando o primeiro papel que encontrou. O guarda desdobrou o documento, procurou a luz de um lampião próximo e pôs-se a ler, em voz alta:
– João Ninguém... não tem ideal na vida... além de casa e comida... tem seus amores também... Ora essa! – estourou – mas isso é letra de samba!

---

[69] Citado em Jorge Caldeira, *Noel Rosa*, cit., p. 56-7.

– É sim – confirmou Noel. – De samba meu, aliás.
– Mas este samba não é o "João-ninguém", do Noel Rosa?
– Justamente. E Noel Rosa sou eu.[70]

Segundo a narrativa de Almirante, Noel sacou do violão e terminou a madrugada a cantar seus sambas junto com o policial mineiro.

Foi triste o destino dos sambistas da segunda geração, que viveram na pele o personagem do malandro e abraçaram a "orgia" como modo de vida: muitos deles, muitos mesmo, morreram jovens. A folia dos sambistas da antiga geração parece inocente diante da orgia dos malandros das décadas seguintes. Escreve Carlos Sandroni que, "entre os sambistas do estilo antigo, que no início dos anos 1920 já desfrutavam uma posição profissional relativamente boa, o único que morreu de tuberculose foi Sinhô, aos 42 anos. Pixinguinha, João da Baiana, Donga e Caninha chegaram inteiros à casa dos 70 anos, com cachaça e tudo"[71]. A tuberculose, doença da pobreza, da promiscuidade e da fome, matou muito mais sambistas da segunda geração, talvez porque – hipótese minha – a maior concentração urbana na região central do Rio e a falta de políticas de saúde pública por parte do Estado tenham tornado a vida dos pobres ainda mais insalubre do que no início do século[72].

Noel, como se sabe, morreu tuberculoso aos 26; três parceiros seus, Canuto, Antenor Gargalhada e Grandin, morreram da mesma doença antes dos 30 anos. Na turma do Estácio, Rubem Barcelos, irmão de Bide, e Nilton Bastos, parceiro de Ismael, morreram tuberculosos, o primeiro com 23, o segundo com 32 anos. Brancura morreu louco aos 27 anos e Baiaco, aos 22, de úlcera. A violência ceifou outras vidas, como a de outro parceiro de Noel, Ernani Silva, atirado do alto do morro da favela por "adversários desconfiados". Mano Edgar foi assassinado numa briga de jogo.

Cartola, que chegou aos 72 anos respeitado pelos amantes do samba, por duas vezes caiu na marginalidade e desapareceu da Mangueira, por causa de dívidas e cachaça. Ismael Silva também morreu reconhecido, aos 73 anos, mas igualmente passou por um episódio de decadência e sumiço depois de ter sido preso, entre

---

[70] Almirante, *No tempo de Noel Rosa: o nascimento do samba e a era de ouro da música brasileira* (1963) (3. ed., Rio de Janeiro, Sonora, 2013), p. 224.
[71] Carlos Sandroni, *Feitiço decente*, cit., p. 182.
[72] Meu outro bisavô, Belisário Penna, higienista militante, escreveu o primeiro livro sobre saneamento no Brasil: *Saneamento do Brasil* (Rio de Janeiro, Jacinto Ribeiro, 1923).

1935 e 1937. Outra vez, já famoso, foi preso em Paquetá por trapacear no jogo, mas foi reconhecido por Roberto Martins, um policial que admirava seus sambas, e o comissário o soltou. De acordo com o jeitinho bem brasileiro, Ismael não foi inocentado da acusação de trapaça, mas deixou a prisão na condição de compositor e amigo de um policial[73].

CODA: A tradição continua. Alguns exemplos da preguiça nas letras de samba em gerações posteriores à do Estácio
Moreira da Silva, cantor e compositor que encarnou o personagem do malandro, compôs desde a década de 1930 até 1995 uma profusão de sambas cujo protagonista é o malandro esperto que não quer trabalhar, engana a polícia e as mulheres ("Na subida do morro" e "Faltava um ás no meu baralho") e sonha com uma vida burguesa sem que precise trabalhar para isso ("Acertei no milhar").

Janet de Almeida e Haroldo Barbosa, em 1945, compuseram o famoso "Pra que discutir com madame?", ironizando o preconceito dos grã-finos contra o samba. "Madame diz que o samba tem cachaça/ mistura de raça, mistura de cor/ Madame diz que o samba democrata/ é música barata sem nenhum valor/ Vamos acabar com o samba/ Madame não gosta que ninguém sambe/ Vive dizendo que samba é vexame/ Pra que discutir com madame?".

Também da década de 1950 é o "Mambo da Cantareira", protesto contra as agruras da vida do trabalhador composto por Gordurinha, baiano radicado no Rio, e gravado em 1974 por Jards Macalé no disco *Aprender a nadar*: "Só vendo mesmo como é que dói/ Ir trabalhar em Madureira/ viajar na Cantareira/ e morar em Niterói".

Além da vertente humorística, malandra, temos no belo "Sala de recepção", de Cartola, a versão lírica do repúdio ao mundo do trabalho e a exaltação poética da vida devotada ao samba: "Habitada por gente simples e tão pobre/ que só tem o sol que a todos cobre/ como podes, Mangueira, cantar?/ Pois então saiba que não desejamos mais nada/ à noite, a lua prateada/ silenciosa, ouve as nossas canções...".

Chico Buarque, o grande continuador da tradição do samba carioca, tematizou o fim da malandragem em 1978, na Ópera do *malandro*: "Eu fui fazer um samba em homenagem/ à nata da malandragem/ que conheço de outros Carnavais/ Eu fui à Lapa e perdi a viagem/ que aquela tal malandragem/ não existe mais" ("Homenagem ao malandro"). O malandro, depois da "modernização" do país,

---

[73] Carlos Sandroni, *Feitiço decente*, cit., p. 183.

imposta pela ditadura militar (uma contradição em termos), enfiou a viola no saco e tornou-se trabalhador: "Dizem as más línguas que ele até trabalha/ mora lá longe, chacoalha/ num trem da Central". Quem tomou seu lugar foi a elite dos aproveitadores que se beneficiaram de todos os esquemas de apadrinhamento e corrupção do governo militar, abusando da falta de liberdade que impedia que seus esquemas viessem a público: "Agora já não é normal/ o que dá de malandro regular, profissional/ malandro candidato a malandro federal/ malandro com retrato na coluna social/ malandro com contrato, com gravata e tralha e tal/ que nunca se dá mal".

No disco *Malandro*, de 1985, Chico gravou a belíssima "A volta do malandro", que termina com o brado de triunfo: "O malandro é o barão da ralé". E não nos esqueçamos, para encerrar, do samba com melodia e ritmo "enfurecidos", acompanhados de letra humorística, composto por Chico Buarque para o filme *Vai trabalhar, vagabundo*, de Hugo Carvana, em 1973: "Vai trabalhar, vagabundo/ Vai trabalhar, criatura/ Deus permite a todo mundo/ uma loucura/ Passa o domingo no mangue/ segunda-feira vadia/ perde três contos no conto/ da loteria". A voz que manda o vagabundo trabalhar é a mesma que arrasa com o ideal bem-comportado do pobre, porém honesto. O conselho "vai trabalhar" não é sério. O vagabundo faz de tudo para evitar o batente: tenta até ganhar uns trocados como doador no banco de sangue. Na última parte da canção, o árduo trabalho já esgotou as forças do "vagabundo", explorado até o fim para deixar um triste e humilde legado para os seus. "Vai terminar moribundo/ com um pouco de paciência/ no fim da fila do fundo da Previdência/ Parte tranquilo, ó irmão/ descansa na paz de Deus/ deixaste casa e pensão/ só para os seus/ A criançada chorando/ tua mulher vai suar/ pra botar outro malandro/ no teu lugar".

Da lama ao caos: a invasão da privacidade na música do grupo Nação Zumbi

Este texto foi escrito por ocasião de um colóquio sobre a relação entre a música popular e a República, organizado pela PUC do Rio e a UFMG. Participei de um debate sobre como a música popular brasileira trata a relação entre os espaços público e privado no Brasil. Não precisamos de uma pesquisa detalhada para entender que, pelo menos no Brasil, a ideia de separação entre o público e o privado, entre os pobres, é muito diferente daquela que se estabeleceu nas classes média e alta. Para analisar essa diferença, escolhi o movimento manguebeat, criado pelo compositor Chico Science (falecido precocemente em 1997), junto com outros jovens músicos da periferia do Recife.

O manguebeat é um movimento musical muito atual, de forte conotação ideológica, mas um tanto confuso. Seu aparecimento, na década de 1990, é uma das expressões da cultura que se produz a partir dessa terra de ninguém que é o espaço entre o público e o privado no Brasil. Ainda é cedo para se consolidar um pensamento a respeito da inserção desses habitantes das margens no campo da indústria cultural, sobretudo no que se refere à produção musical. Trata-se, talvez, de uma geração da terceira rodada, digamos assim, da expansão da indústria cultural no Brasil. Tivemos uma primeira rodada que foi a era do rádio, por volta dos anos 1930; e uma segunda rodada com a era da televisão, principalmente dos anos 1970 para cá; a terceira rodada então seria essa, inaugurada na década de 1990, marcada pelo barateamento das condições de gravação – no sentido do custo da tecnologia, tanto para quem escuta, para o consumidor de música popular, quanto para quem produz CDs e fitas, em pequenos estúdios de fundo de quintal[74].

Essa geração da terceira rodada foi, por um lado, beneficiada pela interpenetração muito maior de influências musicais vindas de outras regiões do Brasil, de outras classes sociais e também de outros países – como foi o caso da entrada do *rap* norte-americano aqui – atingindo uma população jovem que, sem o barateamento da produção, estaria marginalizada até mesmo em relação à própria cultura de massa, com exceção daquilo que é transmitido pela televisão. Nós sabemos que o que a televisão transmite está longe de ser o mais interessante do que se produz pelo Brasil afora. O acesso ao consumo e à produção nacional e internacional de música talvez tenha colaborado para que muitos compositores dessa geração mantenham uma atitude de reserva e crítica com relação ao que a televisão oferece.

Por outro lado, existe hoje a possibilidade de esses consumidores das "classes C e D", como dizem os publicitários, produzirem respostas criativas a partir da diversidade de expressões musicais que chega até eles e, com isso, se inserirem na produção e divulgação da cultura de massa. O país inteiro passa a ter notícias de grupos que, até então, mesmo que fossem criativos, teriam no máximo repercussão regional.

---

[74] Na época em que este texto foi escrito, ainda não se imaginava que grupos musicais desconhecidos teriam a possibilidade de divulgar sua produção diretamente pela internet, a baixíssimo custo, sem necessidade de suporte material para gravar o trabalho.

A música popular, no Brasil, é uma produção discursiva muito forte e muito presente, talvez a mais forte em um país bastante marcado pelo analfabetismo. Tratei um pouco do assunto no ensaio que precede este. A música popular brasileira assumiu a função de produzir sentido para a vida em sociedade, para as nossas diferenças, para as misérias e riquezas humanas do país. Ouço com bastante frequência na minha clínica, quando alguém tenta encontrar sentido para uma ocorrência da vida privada, para um fato da vida emocional, que a pessoa cite não um filósofo ou um padre, mas os versos de um compositor conhecido: "o Caetano fala isso, o Chico fala aquilo". Citam mais os versos da MPB do que outros poetas ou autores literários, por exemplo. A música e o cinema são presença constante nos consultórios de psicanálise. Mas a música tem essa abrangência, esse alcance maior; mesmo quem nunca foi ao cinema certamente tem um rádio em casa e escuta música.

Além disso, a música popular no Brasil contou e conta ainda hoje com excelentes poetas entre seus compositores, principalmente no caso da "segunda geração", a geração que despontou na década de 1960, com os grandes festivais das TVs Excelsior e Record, e cresceu durante os anos 1970: uma geração crítica, universitária, de classe média, politizada. É a geração de Caetano Veloso, Chico Buarque, Gilberto Gil, Milton Nascimento e muitos outros artistas que têm um pensamento sobre o país expresso em suas canções.

Chico Science e o grupo Nação Zumbi, fenômeno musical da década de 1990, não representam exatamente um pensamento crítico; eles seriam antes os representantes *do próprio objeto* do que até hoje tem sido o pensamento crítico na MPB; um objeto que começa a se manifestar, que deixa de ser objeto do discurso de outros poetas para se tornar sujeito. De objetos da crítica a sujeitos da criação de linguagem, os meninos pobres das grandes cidades brasileiras começam a produzir um lugar diferenciado para a expressão de sua experiência. Até recentemente, os compositores politizados da classe média se preocupavam com a miséria, com a exclusão, com a marginalidade, com a condição do *outro*, que era retratada ou denunciada em suas canções.

O que se ouve hoje, através do manguebeat, é o som da própria marginalidade. O som do *outro*. Talvez o que se busque aqui seja uma espécie de inclusão pela palavra, pelo ritmo e, sobretudo, pela batida muito particular, bastante agressiva, que é marca forte de sua presença no país. É como se eles dissessem: "Escutem, estamos aqui na cena". Não é uma análise das condições em que eles vivem, é um modo de eles se incluírem na cena.

Vinicius de Moraes, em seu famoso "Samba da bênção", em coautoria com Baden Powell, intercala trechos falados entre os trechos cantados. Na terceira e última dessas falas, marcada pelo embalo doce e contínuo da batida da bossa nova, Vinicius faz uma grande saudação aos compositores negros do samba. Nessa saudação, ele cria como que a comunidade dos compositores, principalmente a comunidade dos compositores do samba, dos compositores negros, na qual ele quer se incluir, como "o branco mais preto do Brasil". Ouvimos a voz de Vinicius de Moraes saudando, como se estivesse no mesmo ato nomeando e criando simbolicamente essa comunidade. Segundo Maria Alice Rezende de Carvalho, em sua conferência neste mesmo simpósio, essa não era uma comunidade *brasileira*; era muito mais uma comunidade carioca, que no samba de Vinicius ganhou esse alcance brasileiro. No final do "Samba da bênção", Vinicius saúda essa comunidade do samba: "A bênção, Sinhô/ A benção, Cartola/ A bênção, Ismael Silva/ Sua bênção, Heitor dos Prazeres/ A bênção, Nelson Cavaquinho/ A bênção, Geraldo Pereira/ A bênção, meu bom Ciro Monteiro/ você, sobrinho de Nonô/ A bênção, Noel/ Sua bênção, Ary [os quatro últimos também brancos].

Isso me fez pensar em um dos *raps* do grupo Racionais MC's, no CD *Sobrevivendo no inferno*, em que Mano Brown faz uma coisa parecida com o que fez Vinicius de Moraes, só que às avessas. Na saudação de Brown à comunidade do *rap*, o acompanhamento não é a batidinha leve e irônica, ligeiramente "*blue*", da bossa nova; é uma espécie de zumbido contínuo, um gemido eletrônico, marcado por uma pontuação sutil e ameaçadora, que produz no ouvinte uma sensação um pouco apreensiva. A voz de Mano Brown é grave nos dois sentidos da palavra; tem uma nota entristecida, sem brilho, cheia de gravidade. Sua extensa nomeação não cria uma comunidade virtual de autores, de poetas consagrados; não são nomes de pessoas que ele inclui nessa comunidade; o que ele enumera são os bairros das periferias das cidades do Brasil. Também não é uma saudação feliz. A saudação de Brown não evoca o alegre "Saravá!", com que Vinicius de Moraes parece dizer: "Vocês são grandes compositores, são ótimos, e eu me incluo entre vocês". O sentido é outro, é o de um lamento pelos excluídos. Brown começa desfiando nomes de bairros da interminável periferia de São Paulo: "Alô, Jardim Japão, Jardim Hebron, Jardim Ângela, Capão Redondo, Cidade de Deus, Cidade Ademar, Peri Peri, Brasilândia, Campo Limpo, Itaquera, Cohab 1, Cohab 2". Em seguida, sai de São Paulo para outras cidades: "Tabatinga, Boréu, Camaragibe, Candiau"[75].

---

[75] Respectivamente em Brasília, Rio de Janeiro, Recife, Salvador.

Sua saudação demora uns três minutos, sem parar. A voz grave de Brown enumera bairros e bairros de periferias de muitas cidades brasileiras, muitos dos quais nunca ouvimos falar, para finalmente entrar com "Jorge da Capadócia", de autoria de Jorge Ben Jor e um de seus raros cantos em tom melancólico, cuja letra reproduz uma reza do candomblé – a invocação de um orixá, São Jorge (Ogum), para que o santo feche o corpo do poeta-guerreiro e o proteja do mal: "Para que meus inimigos tenham pés, não me alcancem/ Para que meus inimigos tenham mãos, não me peguem, não me toquem/ Para que meus inimigos tenham olhos e não me vejam/ E nem mesmo um pensamento eles possam ter para me fazerem mal".

O pessoal do manguebeat vem de uma dessas periferias, do bairro do Rio Doce, no Recife. A arte de Chico Science e de seus companheiros revela que a fronteira divisória entre o público e o privado se rompe, de maneira absoluta, nas condições de maior pobreza e nas condições de miséria dessas grandes periferias urbanas brasileiras, onde a vida privada é permanentemente invadida pela dimensão pública ou, melhor dizendo: *pela ausência dela*. Se não existem janelas fazendo a passagem entre a casa e a rua no bairro do Rio Doce, não é porque as janelas estejam fechadas para a rua, mas porque *a rua já está dentro da casa*. Não há uma verdadeira privacidade, não há nada que proteja o sujeito que mora num barraco de periferia de ser absolutamente invadido pela rua. A relação de quem está dentro de casa com a rua não é de contemplação. A rua invade tudo com sua violência, sua sujeira, sua indignidade. O público invade o privado não pelo excesso, mas pela falta; a privacidade fica desprotegida em função da irresponsabilidade do Estado em relação ao espaço público nos bairros pobres das grandes cidades do Brasil.

Não se trata da politização do cotidiano. Não se percebe, nas letras das músicas cantadas pelo grupo Nação Zumbi, uma menção à vida pública no sentido de um projeto de articulação política unindo toda a comunidade no espaço comum da rua ou da praça. Ao contrário. É o descaso dessa República com o espaço público, o fato de que nada garante ao sujeito que o governo assuma sua responsabilidade pública sobre alguns aspectos essenciais da vida, os mesmos que todos os políticos citam em seus discursos: transporte, saúde, educação, saneamento básico, segurança. Isso deixa o cidadão absolutamente exposto às vicissitudes do espaço público desorganizado, abandonado pelo descaso de sucessivos governos. Diariamente, ele tem de resolver, sozinho, problemas da infraestrutura da vida que seriam de responsabilidade do poder público.

Nesse sentido, nas favelas e no mangue, o conceito de privacidade não existe nem como um valor, porque este é um valor cultural burguês, nem como possibilidade, porque a vida privada é invadida pelas questões que deveriam ser de competência do poder público. Quanto mais o poder público abandona a população, tanto mais a dimensão privada da vida dos miseráveis desaparece. Ou seja: a vida pública afeta os cantos mais íntimos do que deveria ser privado para o sujeito.

Um exemplo mais conhecido, que há décadas é tema da música nordestina, é o dos efeitos do flagelo da seca na vida individual. A seca é uma calamidade natural; mas, como as autoridades das regiões afetadas não tomam nenhuma providência para proteger os lavradores de seus efeitos, ela é percebida por suas vítimas como uma desgraça pessoal, como um castigo, como uma maldição da qual só Deus ou a sorte poderia libertá-los. Ouçam Luiz Gonzaga cantando "A volta da Asa Branca": "E se a safra não atrapalhar meus planos/ que que há, ó seu vigário/ vou casar no fim do ano".

A safra depende da seca; o cantador pode fazer projetos de viver com sua amada *se a seca não atrapalhar*, porque, se a seca atrapalhar, não tem casamento. Não tem projeto de vida individual, privada, diante do flagelo da seca, e nós sabemos que esse não é um flagelo natural – é uma calamidade provocada por décadas de má administração pública nos estados do Nordeste.

Chico Science e os grupos do manguebeat que sobreviveram à sua morte representam também um fenômeno bastante recente na produção musical brasileira, que é o fato de que a indústria cultural e a cultura de massa, em vez de terem destruído as culturas periféricas, populares, possibilitaram uma inclusão inesperada de expressões marginais. Digo isso porque, nos anos 1970, quando eu trabalhava como jornalista na área de cultura de alguns jornais independentes, nossa grande preocupação era pensar que todas as manifestações regionais, singulares, verdadeiramente populares que ainda resistiam à massificação estavam condenadas a desaparecer esmagadas pelo *pop* e principalmente pelo *pop* norte-americano, pela invasão da cultura de massa estrangeira no Brasil. Só que aconteceu o contrário. Ou melhor, não exatamente o contrário, porque hoje existe uma massificação, um nivelamento por baixo muito sério na produção de cultura para as massas no Brasil e no mundo. Mas, como a própria indústria cultural tem de se alimentar também de uma certa novidade, aos poucos abriu-se espaço para o diferente, no mercado da música, que não havíamos previsto. Hoje a arte produzida por grupos pequenos, grupos que representam uma realidade regional muito particular, ganha acesso ao mercado com alguma facilidade. A diversificação da música popular brasileira é muito maior do que teria sido na própria década de 1970, quando nós imaginávamos que ela se extinguiria completamente.

Um exemplo disso é o Carnaval da Bahia. É verdade que o maior espaço do Carnaval, pelo menos na mídia, é ocupado pelos trios elétricos. As emissoras de televisão brigam pelos direitos de divulgar para o país inteiro a festa dos milhares de paulistas, mineiros e curitibanos dançando aquela bobeira semipornô da axé music, respirando a fumaça dos caminhões e protegidos do resto da multidão pela força dos braços dos negros pobres de Salvador que seguram as cordas, como escravos nas galés, para ganhar cinco ou dez reais por dia. Até Carlinhos Brown fez algumas restrições aos rumos da axé music, que vem rebaixando ano a ano sua qualidade poética. O trio elétrico de Carlinhos Brown, por sinal, é liberado para o povo[76]. Nele não há diferença entre os que podem pagar, "protegidos" pelas cordas, e o povão pobre que vai na "pipoca", espremido do lado de fora.

Mas, do outro lado, o "lado B" do Carnaval baiano, surgem ou ressurgem, a cada ano, novos grupos afros, baseados na tradição do culto de orixás menos conhecidos, a relembrar festas e cultos praticados por escravos vindos de outras nações africanas, a revitalizar hoje a expressão de culturas que estavam desaparecendo. O singular abre espaço na mesmice da cultura de massas.

Nesse sentido o Nordeste é muito rico. Ainda são fortes no Nordeste as tradições da embolada, dos desafios de violeiros, da poesia de cordel, dos ritmos do coco, da ciranda, do maracatu, que dialogam livremente com influências do *pop* internacional, produzindo uma sonoridade absolutamente nova. Essa liberdade de incorporação e modificação de influências estrangeiras talvez seja uma marca da cultura popular nordestina, que desde os séculos XVI e XVII assimilou elementos do cancioneiro português. Foi quando se produziu, a partir do sertão, a livre tradução do imaginário da cultura da elite colonizadora portuguesa para dar conta da realidade da vida sertaneja. Assim se inventou um diálogo pelo avesso, em que o uso de alguns significantes e de algumas imagens fortes, empregados fora do contexto original, fez com que eles adquirissem significados completamente diferentes, de modo a produzir uma renovação da tradição popular.

Esses novos compositores e grupos nordestinos afirmam a tradição dos versos da embolada, dos ritmos do maracatu, com um toque de ironia que marca a

---

[76] Observo que essa é uma referência dos anos 1990. Não sei se hoje, em 2018, o bloco da Timbalada ainda evita "proteger" com as famosas *cordas* a elite dos pagantes da massa dos pés de chinelo.

distância entre a origem que se perdeu e a musicalidade das tradições negras que esses jovens ainda carregam no sangue. O maracatu é o ritmo mais marcante nas músicas da Nação Zumbi, mas ele tem uma origem religiosa, afro-brasileira, que não se manteve no manguebeat. Maracatu era o nome de uma festa tradicional celebrada em Pernambuco por grupos de escravos chamados "nações". As procissões das nações saíam tradicionalmente das igrejas do Rosário – esse era o nome dado às igrejas reservadas aos pretos, igrejas frequentadas pelos escravos, proibidos de entrar nas outras, onde os brancos rezavam. Na porta das suas igrejas, os negros tocavam tambores e faziam uma dança que simulava cenas da corte portuguesa. Ainda existem algumas nações de maracatu no Recife: o Leão Coroado, o Pavão Dourado, o Elefante – e o mais recente deles, a Nação Zumbi. Nos maracatus, os escravos encenavam uma nobreza que não era a das nações africanas, mas a da corte dos seus senhores. Só que nessa corte, além das figuras do rei, da rainha, dos príncipes, havia também batuqueiros, caboclos e baianas, além da *calunga*, uma boneca preta de pano que era carregada pela "dama do paço" (corruptela de "dama do palácio"). Essa boneca preta levava o nome do deus Calunga: entidade que para os angolanos representa o mar. O mesmo mar que separou os negros escravizados das terras africanas.

Só que o maracatu de Chico Science, o maracatu da Nação Zumbi, é um maracatu guerreiro, que elimina a antiga dimensão do imaginário da corte portuguesa. A nobreza da Nação Zumbi sai da lama, tem o mau cheiro do mangue, do lado podre da grande cidade. A tradição é revivida com ironia.

A outra apropriação que Chico Science fez em sua poesia foi da tradição do cordel. É muito frequente em toda poética de cordel que se desenhe, na voz do poeta, um *eu* que é sua expressão subjetiva mas que não se afirma como *individualidade*. Um *eu* diferente da expressão de uma intimidade privada, como o que a cultura burguesa reconhece, e que se expressa, por exemplo, nas canções de amor de Chico Buarque, ou nas expansões subjetivas dos versos de Caetano. Não é o *eu* de um poeta falando de sua sensibilidade particular, mas um *eu* que se dilui nas coisas à sua volta. Um *eu* coletivo.

Vamos ouvir os versos de "Mateus Enter", canção de Chico Science & Nação Zumbi cujo nome é totalmente enigmático para mim, eu não sei o que é "Mateus Enter". "Enter" remete à tecla "enter" do computador. Apesar da referência à tecnologia, a força dessa música é absolutamente rítmica, é guerreira, apoiando a entrada desse *eu* que não tem nada a ver com o *eu* narcisista, introspectivo, da nossa tradição universitária. "Eu vim com a Nação Zumbi/ aos seus ouvidos falar/

quero ver a poeira subir/ e muita fumaça no ar/ Cheguei com o meu universo/ aterrisso no seu pensamento/ trago as luzes dos postes nos olhos/ rios e pontes no coração/ Pernambuco embaixo dos pés/ e minha mente na imensidão".

Nessa música, é importante perceber, o poeta não vem sozinho, vem com a sua nação, como os blocos de maracatu reencarnavam as nações africanas que sucumbiram à escravidão. Ele chega com seu universo, que é o universo da cidade: as luzes dos postes, os rios e as pontes fazem parte desse corpo público, cujos pés carregam Pernambuco aonde vão. A "mente na imensidão" é o que humaniza esse *eu* e lhe confere uma dimensão que extrapola a dimensão de objeto entre outros objetos.

Vou retomar a imagem da "mente na imensidão" para lembrar que em 1992 Fred Zero Quatro, da banda Mundo Livre S/A, lançou o manifesto "Caranguejos com cérebro", cujo símbolo seria uma antena parabólica fincada na lama. A lama do mangue. O mangue tem uma importância muito grande, metafórica, para esse grupo, como um lugar pulsante de vida, de grande biodiversidade, um lugar que resiste de certa forma à devastação urbana – e que, por outro lado, está sempre ameaçado pela urbanização.

O mangue representa também uma área de trocas, entre a água salgada do mar e a água doce dos rios, entre o mar e a terra. Nesse manifesto, os integrantes do movimento manguebeat são apresentados como seres do mangue que pensam, que têm cérebro. E que estão abertos a todas as trocas, como numa rede de vasos e vozes comunicantes que a antena parabólica pode captar. Nesse sentido, vejam que não há exatamente uma afirmação de uma identidade nacional, brasileira. O que existe é uma poética que faz uma ponte entre o mais regional – o bairro, o mangue, a favela – e o global. O nacional não tem muita função aqui. O sentido da brasilidade, do Brasil como unidade imaginária que dá suporte às identificações, não aparece na poesia do manguebeat. O *eu* lírico é um sujeito regional que tem a mente projetada para a imensidão, projetada para o global.

Chico Science foi um menino pobre do bairro do Rio Doce, no Recife. Foi um catador de caranguejos, frequentador de bailes *funk*, que mais tarde trabalhou em uma empresa de informática – de onde podemos supor, aliás, que a ideia de um sujeito que existe em "rede" teria começado a se formar. Uma rede não tem necessariamente uma referência central. Uma rede é um cruzamento de muitas referências. O manifesto "Caranguejos com cérebro" traz a proposta de reciclar e resgatar ritmos tradicionais da região com o incremento de elementos do *pop*, sem hierarquizar o valor de uns e outros.

A valorização dos ritmos tradicionais não tem, nesse caso, o sentido que tinha para a geração que amadureceu no período da ditadura militar – essa que ia buscar nas tradições populares alguma expressão possível que marcasse sua diferença em relação à adesão da classe média brasileira à ditadura. Não é a ideia da resistência que se impõe aqui; é a aceitação da origem como uma fatalidade: se ele é pernambucano, se ele vem dessa cultura, é impossível ignorar a influência do maracatu, da embolada, do cordel. Ele não deseja se livrar disso, não porque resista contra outras influências, mas porque o mundo a que ele pertence *se impõe a ele*.

Prossigo nesta rápida biografia de Chico Science para ressaltar que a banda Nação Zumbi se formou a partir do contato que ele e outros rapazes do Rio Doce tiveram com o trabalho de uma espécie de organização não governamental (ONG), um centro comunitário de educação popular da periferia do Recife chamado Daruê Malungo. Ali se formou, em 1991, um bloco afro chamado Lamento Negro, que deu origem à Nação Zumbi. Esse tipo de sociabilidade criada pelo trabalho de algumas ONGs também é um fenômeno recente no Brasil. Diante da ausência daquilo que o poder público deveria oferecer, como centros de lazer, pontos de encontro, de educação, de trocas de informação[77] etc., esses pequenos trabalhos das ONGs ganham espaço entre as populações carentes. A importância dessa criação de espaços alternativos é enorme. Podem observar que, onde existe um trabalho comunitário desses, acaba surgindo um talento, um bloco, uma banda, um artista novo. Isso prova que o esvaziamento das manifestações populares na atualidade tem muito a ver com a falta de espaços onde isso possa acontecer. Onde se cria um ponto de encontro e um incentivo à criatividade surge frequentemente uma expressão artística que pode ser mais forte ou mais fraca, mas que é sempre necessária.

Vou apresentar então o manifesto "Caranguejos com cérebro", que é a voz desse sujeito atravessado pelo mundo, ao mesmo tempo muito perto e muito longe do resto do mundo.

Emergência! Um choque rápido ou o Recife morre de infarto[78].

A preocupação é com o Recife, é com a cidade, não com o país.

---

[77] A partir de 2003, esse vazio passou a ser preenchido, pelo menos em parte, pela criação dos Pontos de Cultura espalhados por várias periferias urbanas e comunidades rurais do Brasil. Os Pontos de Cultura foram criados pelo Ministério da Cultura (MinC) na gestão do ministro Gilberto Gil.

[78] Este trecho e os próximos, em itálico, são de Fred Zero Quatro, "Caranguejos com cérebro (manifesto)"; disponível em: <http://projetoautonomiaemcepag.xpg.uol.com.br/Caranguejos%20Com%20C%C3%A9rebro.pdf>, acesso em jul. 2017.

Não é preciso ser médico para saber que a maneira mais simples para parar o coração de um sujeito é obstruindo as suas veias. O modo mais rápido, também, de infartar e esvaziar a alma de uma cidade como o Recife é matar os seus rios e aterrar os seus estuários. O que fazer para não afundar na depressão crônica que paralisa os cidadãos? Como devolver o ânimo, deslobotomizar e recarregar as baterias da cidade?

Logo de início o leitor não sabe de que o autor está falando, se é dos rios que estão morrendo, do mangue que está morrendo ou da inteligência que está morrendo.

(*Como devolver o ânimo, deslobotomizar e recarregar as baterias da cidade?*)

Basta injetar um pouco da energia da lama e estimular o que ainda resta de fertilidade nas veias do Recife.

Em meados de 91, começou a ser gerado e articulado em vários pontos da cidade um núcleo de pesquisa e produção de ideias pop. O objetivo era engendrar um *circuito energético*, capaz de conectar as boas vibrações dos mangues com a rede mundial de circulação de conceitos pop.

O circuito que se cria vai do mangue para o mundo. Circulação de conceitos *pop*. Aqui a fábrica de conceitos já é a cultura *pop*. Não tem nenhuma escola no meio disso. A imagem-símbolo seria uma antena parabólica fincada na lama.

Aí vai o panorama cultural captado pela antena do mangue:

Hoje, os mangueboys e manguegirls são indivíduos interessados em hip-hop, colapso da modernidade, Caos, ataques de predadores marítimos (principalmente tubarões), moda, Jackson do Pandeiro, Josué de Castro, rádio, sexo não virtual, sabotagem, música de rua, conflitos étnicos, midiotia, Malcolm McLaren, Os Simpsons e todos os avanços da química aplicados no terreno da alteração e expansão de consciência.

Os "avanços da química" fazem referência bastante explícita às drogas capazes de "alterar e expandir a consciência". De resto, a enumeração dos elementos com os quais os mangueboys e manguegirls se identificam lembra a letra de uma canção tropicalista, mas não sei se podemos considerá-los filhos/netos da tropicália ou expressão sintomática daquele Brasil que a tropicália descrevia nos anos 1960. Essa enumeração que parece tropicalista não está produzindo um efeito de saturação ou do *nonsense* crítico típico da estética tropicalista. Está criando um campo identificatório para os meninos e meninas pobres da sua geração.

Talvez seja preciso conhecer um pouco mais o trabalho da Nação Zumbi. Há um trecho de uma música de Chico Science, chamada "Banditismo por uma questão de classe", do CD *Da lama ao caos*, em que ele repete o refrão: "Banditismo por pura maldade/ Banditismo por necessidade/ Banditismo por uma questão de classe".

Nesse caso, "questão de classe" tem duplo sentido. O banditismo tanto pode ser uma questão de classe social como uma questão estilo. Vale a pena ouvir o "discurso de abertura" dessa canção, que se chama "Monólogo ao pé do ouvido". É uma falação bastante confusa:

> Modernizar o passado é uma evolução musical/ Cadê as notas que estavam aqui?/ Não preciso delas/ Basta deixar tudo soando bem aos ouvidos/ O medo dá origem ao mal/ O homem coletivo sente a necessidade de lutar/ O orgulho, a arrogância, a glória/ enchem a imaginação de domínio/ São demônios os que destroem o poder bravio da humanidade / Viva Zapata! Viva Sandino! Antônio Conselheiro, todos os Panteras Negras/ Lampião, sua imagem e semelhança/ Eu tenho certeza: eles também cantaram um dia.

Chico Science não precisa das "notas que estavam aqui", as notas do passado, para sua evolução musical. Sem elas, também se pode "deixar tudo soando bem aos ouvidos". Mas sua "evolução" não rompe com todo o passado, ele reconhece uma dimensão que ultrapassa o indivíduo, fala em nome de um "homem coletivo" cuja filiação é baseada numa espécie de miscigenação ideológica bastante fantasiosa. Ele nomeia seus antecedentes, que vão dos revolucionários Zapata e Sandino ao monarquista messiânico Antônio Conselheiro, dos Panteras Negras a Lampião – este que talvez tenha passado na faca vários antepassados humildes do próprio Chico Science. O que esses homens têm de comum entre si é sua condição marginal em relação ao poder, ainda que alguns tenham sido vitoriosos em sua luta. Eles estão juntos no mesmo manifesto porque, como vai dizer a música mais adiante, "Acontece hoje, acontecia no sertão /quando um bando de macaco perseguia Lampião /E o que ele falava outros hoje ainda falam/ 'Eu carrego comigo coragem, dinheiro e bala'". "Coragem, dinheiro e bala" – citação do verso de Sérgio Ricardo criado para a canção-tema do personagem Corisco, no filme de Glauber Rocha – é o que une a imaginação de Chico Science à memória de seus ídolos.

Não é fácil decidir se ele está citando os homens cheios de "orgulho, arrogância e glória" que *destruíram* o poder bravio da humanidade ou se está nomeando os que *representam* o poder bravio da humanidade. Chama a atenção aqui a ausência de ironia. Esse discurso é lido com uma certa solenidade, como um manifesto que convoca para algum tipo confuso de revolução, ou pelo menos para uma resistência em nome dessas figuras que representam talvez o "poder bravio da humanidade".

Outra música importante para ilustrar minha reflexão sobre a ausência de uma representação da vida privada nesse imaginário é "Manguetown", que está no segundo CD da Nação Zumbi, chamado *Afrociberdelia*

> Tô enfiado na lama/ É um bairro sujo/ onde os urubus têm casas/ e eu não tenho asas/ Mas estou aqui em minha casa/ onde os urubus têm asas/ Vou pintando, segurando a parede/ no mangue do meu quintal/ Manguetown!/ Andando por entre os becos/ andando em coletivos/ ninguém foge ao cheiro sujo/ da lama da manguetown [...] Esta noite sairei/ vou beber com os meus amigos/ e com as asas que os urubus me deram ao dia/ Eu voarei por toda a periferia/ Vou sonhando com a mulher/ que talvez eu possa encontrar/ Ela também vai andar/ na lama do meu quintal/ Manguetown.

Mais uma vez, a batida é agressiva e a construção musical não é melodiosa. Não chega a ser um poema falado como no caso do *rap*, mas a musicalidade é reduzida a dois ou três elementos mínimos, contidos, que só no refrão se soltam um pouco.

Para começar, de onde esse cara está falando? Ele se dirige a nós a partir da lama, do mangue, do caos, e não da privacidade de seu quarto ou de sua janela para o mundo: "Tô enfiado na lama/ é um bairro sujo/ onde os urubus tem casas/ e eu não tenho asas". Quer dizer: os urubus têm onde morar, eles têm a casa que o poeta não tem, e o poeta não tem as asas que os urubus têm. "Mas estou aqui em minha casa/ onde os urubus têm asas/ vou pintando, segurando a parede no mangue do meu quintal." São paredes que existem porque ele as sustenta, "pintando, segurando" as paredes do mangue: esse que não se diferencia do seu quintal. Segue a entrada do refrão, que projeta o sujeito no espaço coletivo da cidade: "Andando por entre os becos/ andando em coletivos/ ninguém foge ao cheiro sujo/ da lama da manguetown". Esse refrão repete-se muitas vezes. A lama da manguetown penetra em tudo: ninguém foge ao seu cheiro sujo.

Desse ponto em diante, vemos aparecer um outro valor no poema. A questão da sociabilidade, que se revela tanto no *rap* quanto no movimento manguebeat, passa a se afirmar na forma da *philia*, da amizade. A ideia forte, aqui, é a de que o espaço que o cantor considera como *seu* não é o isolamento do lar, e sim o ponto de encontro com os amigos; essa é uma ideia muito presente nesse tipo de música, na produção desses grupos jovens das periferias. Então, a segunda parte da música diz: "Esta noite sairei/ vou beber com os meus amigos/ e com as asas que os urubus me deram ao dia". O poeta começa dizendo "eu não tenho asas", "os urubus têm casas e eu não tenho asas". Mas, quando sai para beber com os amigos, ele adquire "as asas que os urubus me deram ao dia". Pode-se interpretá-las como as asas da imaginação, as asas da ousadia, as asas da alegria; seja o que for, ele não explica nada. Mas não há dúvidas de que as asas "surgem" do laço com os amigos.

A metáfora que se segue evoca um voo rasante também. Com as asas que um dia os urubus deram a ele e a seus amigos... "Eu voarei por toda a periferia/ vou sonhando com a mulher/ que talvez eu possa encontrar". Nesse ponto, o ouvinte pensa: eis, afinal, um lugar-comum, um sonho típico da poética que Chico Science recusou até agora – referida aos ideais da classe média, da vida privada, da intimidade etc. Aí está o poeta do mangue, como qualquer outro... "sonhando com a mulher/ que talvez eu possa encontrar". Mas como é que ele projeta esse encontro? "Ela também vai andar/ na lama do meu quintal/ Manguetown". E entra o refrão, agora num ritmo contagiante, uma espécie de *andante* ligeiro que se repete: "Fui no mangue catar lixo/ pegar caranguejo, conversar com urubu". Se o poeta/narrador tenta encontrar uma mulher, esta não se parece em nada com as musas idealizadas da imaginação popular; ela vai estar tão enfiada na lama como ele, vai conversar com os urubus junto com ele; o encontro com a musa não é para viver o sonho, também popular, do "nosso amor e uma cabana": é para conversar com os urubus. E catar lixo; e catar lixo.

Essa foi a canção "Manguetown". Não é fácil avançar muito em uma reflexão sobre ela porque seu registro não é reflexivo. Ele se limita a apresentar não a intimidade dessa voz poética, mas as circunstâncias da existência desse sujeito. Esse *eu* autoral é um *eu* invadido pela cidade, e, toda vez que essa imagem adquire uma força poética, essa força poética remete ao elemento urbano – não tem a ver com nenhum elemento de intimidade, de sensibilidade, que na lírica da MPB tradicional é identificado com o *eu* de uma psicologia individual.

Esse sujeito expandido que se manifesta nos versos de Chico Science e de outros grupos do manguebeat, que se manifesta nas longuíssimas letras do *rap* paulistano e carioca, não se parece com o *eu* da privacidade burguesa, a não ser pela sua qualidade autoral, que consiste em falar na primeira pessoa. Como no verso do MC Rappin' Hood: "Eu tô com o microfone/ é tudo no meu nome". É um sujeito que acolhe, em nome próprio, os ecos da coletividade a que pertence. E que também em nome próprio os repercute no espaço maior da música popular, pela via da indústria fonográfica. O espaço público degradado do Brasil das décadas de 1980 e 1990 cede lugar a uma espécie de território que é, ao mesmo tempo, terreno da subjetividade – do afeto, das amizades, das identificações desses jovens artistas – e o espaço da cidade que, para eles, do ponto de vista poético, não tem fronteiras. Começa na periferia, na lama do mangue, sobrevoa o planeta e se projeta no espaço de transmissão das antenas parabólicas.

3.
Televisão

Um só povo, uma só cabeça, uma só nação: os primeiros anos do monopólio da Rede Globo[1]

Algumas observações sobre o texto, 25 anos depois
Escrever sobre a televisão brasileira na década de 1970 é praticamente escrever sua história. Talvez a televisão, que chegou ao Brasil na década de 1950, tenha sido muito mais criativa, muito mais capaz de improviso, nos seus primeiros vinte anos de vida, quando tudo estava por ser inventado e não havia modelos prontos. Mas foi a partir do momento em que a televisão no Brasil "criou seu próprio modelo" – e isso significa exatamente o advento da Rede Globo – que ela passou a existir como fenômeno social significativo e como sistema abrangente. A década de 1970 está intimamente relacionada com a expansão da indústria cultural no Brasil. Escrever sobre a tevê brasileira nesse período é reconstituir a história da indústria cultural no país, ligada à atuação dos grandes monopólios econômicos: consequentemente, a história da Globo.

Existiam, entre as décadas de 1960 e 1970, oito emissoras de televisão no Brasil: três redes – Tupi, Excelsior e Globo – e cinco estações locais (em São Paulo

---

[1] Este texto foi escrito em 1979 para integrar a pesquisa "Anos 70", sobre a cultura brasileira produzida naquela década. O grupo de pesquisa foi constituído através do Núcleo de Estudo e Pesquisa da Fundação Nacional da Arte (NEP-Funarte) sob coordenação de Adauto Novaes. Optei, nessa reedição, por manter o estilo jornalístico próprio de minha produção naquela época, assim como algumas expressões e gírias que hoje já estão em desuso.

e no Rio). A princípio, tencionava escrever um pouco sobre cada uma, mas logo cheguei à conclusão de que o fenômeno Globo representava um vastíssimo campo a ser explorado, pela desproporção de sua penetração em relação ao alcance das outras emissoras e também pela complexidade de sua estratégia de conquista do público. A ideia foi concentrar o trabalho numa análise do processo de expansão da emissora ao longo desses dez anos e descrever a luta pela sobrevivência das outras estações em face do monopólio. A reconstituição do processo de crescimento da televisão no Brasil foi possível graças à memória dos homens que trabalham ou trabalharam para construí-la. Através de seus depoimentos, foi possível desenvolver uma narrativa sobre a história da Rede Globo e suas linhas de programação. E concluir que a Globo foi, efetivamente, a síntese da televisão brasileira na década de 1970.

A Globo arrombou a festa popular
1970-1979: à maneira das "retrospectivas de fim de ano" levadas ao ar pela Globo a cada 31 de dezembro, tentaremos uma retrospectiva da década, que começou de fato em 1968 – na política, com o AI-5 e o arrocho da repressão por parte dos governos militares; na cultura de massas, com os primeiros acertos e definições da política de programação da maior emissora de televisão do país. Os acontecimentos mais marcantes do ano de 1979 já não são mais tipicamente "década de 1970" (embora consequência dela); já anunciam outra década, outra conjuntura, outros problemas e outras perspectivas – aparentemente, menos limitadas. Esperamos que esses dez ou doze anos passados sob jugo militar, tutelados pela indústria cultural em expansão e motivados pelas promessas do já falido milagre econômico brasileiro, não tenham viciado ou embotado as faculdades pensantes e sobretudo desejantes com que nós brasileiros ("nós" quem?) temos de contar.

Mas, se não embotaram, certamente marcaram bastante. Essas linhas de abertura, por exemplo, independentemente de seu conteúdo, levam o jeito daquelas palavras de estímulo e consolo com que o elegante Cid Moreira encerra o *Fantástico* todos os domingos, deixando a mensagem editorial da Globo para a semana que se inicia. E a retrospectiva da década que se segue, feita no formato de pequenos *takes*, não difere muito do estilo telejornalístico com que a emissora pretende informar e/ou domesticar seu público. Para escaparmos de tanto determinismo, só nos resta refletir sobre os fatos, encadeá-los de outra maneira, extrair deles significados para além das aparentes evidências, fazer emergir, da constatação que imobiliza, a compreensão que transforma. Nesse terreno, na manutenção e renovação desses estranhos hábitos, residem alguns fundamentos essenciais da liberdade – palavra que pode soar estranhamente vazia de sentido no contexto da década de 1970, mas que talvez adquira significados mais concretos e menos demagógicos nos incipientes anos 1980, dos quais tenho vagas ideias sobre o que quero que sejam, e ideias muito precisas sobre o que, espero, *não sejam*.

1) 1º de janeiro de 1971, Salvador, Bahia[2]: cidade onde, entre Carnavais e macumbas para turistas, subsistem elementos do que se poderia chamar de uma "pujante cultura popular". Ali acontece, todo dia 1º do ano, a tradicional Procissão dos Navegantes. Centenas de barcos de todos os tamanhos saem ao mar em procissão seguindo a imagem de Nossa Senhora dos Navegantes e saudando o ano novo. Num dos barcos, naquele ano, iam dois turistas muito especiais – Tarcísio Meira e Daniel Filho, respectivamente astro e diretor da novela das oito da Globo que passava à época, *Irmãos Coragem*. Aquela foi, aliás, a primeira novela de grande repercussão nacional da Globo, comparável aos fenômenos de audiência garantidos para quase qualquer coisa que a emissora leve ao ar às 20 horas, atualmente. De repente, vinda do barco que transportava os "globais", a música-tema da novela eleva-se acima dos outros ruídos da festa. Aos poucos, todos os barcos que seguiam a Senhora dos Navegantes alteram sua rota até formarem um círculo em torno daquele que transportava nossos heróis. O povo baiano e outros visitantes abandonaram Nossa Senhora dos Navegantes para entoar, em coro, "Irmão, é preciso coragem...", enquanto Tarcísio os saudava na proa, os braços erguidos, os olhos cheios de lágrimas diante daquela expressão espontânea do afeto popular.

Espontânea, sim, e carregada de muito mais sentidos do que o simples carinho do público por seu ator predileto. Expressão do poder de mobilizar emoções, conquistado pelos produtos de uma emissora de televisão. Expressão do poder de certas imagens, certos dramas pré-fabricados, certos truques estilísticos que compõem uma telenovela – aliados à capacidade de penetração da rede em âmbito nacional – de ocupar um espaço central na vida afetiva de milhões de pessoas. Não é qualquer comício que desvia os rumos de uma festa popular na Bahia – e também não foi a primeira nem a única vez que a Globo arrombou a festa nesses anos de seu monopólio. Arrombou a festa, a missa, a passeata, a noite de núpcias, o comício, o divã do psicanalista, a hora do jantar – e tantos outros eventos cuja proporção talvez precisemos de mais alguns anos para avaliar com clareza.

---

[2] Esta passagem foi contada por Daniel Filho, diretor do núcleo de novelas da Globo, em entrevista concedida a mim em seu apartamento no Rio de Janeiro, em agosto ou setembro de 1979.

2) Em Caicó, pequena cidade do sertão do Rio Grande do Norte, na região do Seridó, uma rádio local anuncia a música seguinte dirigindo-se a seus ouvintes mais jovens: "E agora para o embalo de vocês, cocotinhas do Seridó...". Deslocado da zona sul carioca ou dos grandes centros urbanos em geral, o apelo parece ridículo. No sertão do Seridó, a realidade física é outra, o nível de consumo é outro, os problemas de sobrevivência são outros. Mas planos diversos da realidade (nem por isso "menos reais"), o plano simbólico e o plano do imaginário, os planos das codificações, dos signos e da linguagem, das fantasias e das aspirações, tornam-se cada vez mais homogêneos por todo o país. Que o digam as cocotinhas do sertão, os motoqueiros (ainda que montados em anacrônicas lambretas) do cerrado, os frequentadores de discotecas da Zona Franca de Manaus. Se a burguesia reproduz sua imagem pelo mundo afora, a indústria cultural, tendo a tevê como veículo mais eficaz, dilui essa imagem em padrões pequeno-burgueses, tornando a imitação acessível a quase qualquer outro estrato social. Democracia burguesa é isso aí. *Integração nacional* via unificação da linguagem, do consumo e da ideologia, também. A Globo cumpre orgulhosamente seu papel, copiado por centenas de meios de comunicação locais pelo Brasil afora.

3) A revista *Amiga* (Bloch Editores) vem lançando, há três ou quatro anos, uma edição especial – "As casas dos artistas" – para brindar os leitores com a atitude generosa de seus atores, cantores, autores de novelas, locutores e diretores mais queridos: nas páginas coloridas da revista, esses personagens abrem as portas de seus lares para exibir seu estilo de vida privada, seus símbolos de sucesso profissional e (como não poderia deixar de ser) amoroso, sua correta moral familiar, seu bem-estar, sua extrema domesticidade, sempre plenamente compatível com a "vida artística". No domínio do espaço privado ostentado pelos artistas, temos o testemunho de carreiras em linha reta, tal como convém aos bem ajustados. A televisão, como veículo doméstico e bem comportado que é, apagou definitivamente a imagem maldita que pesava sobre a carreira artística. Os empregados do sr. Roberto Marinho transitam, isso sim, por um território reservado aos deuses (e quantos não sonham pelo Brasil afora em ser "gente da Globo", em qualquer nível?), mas onde a moralidade não deve chocar em nada a de seu público, onde os casais se separam apenas em função de formar uma família ainda mais bem-sucedida que a anterior e onde a dedicação à carreira só não é grande o suficiente para superar o amor ao lar, a vocação à maternidade, o prazer de cuidar do maridinho. A vida do artista é exemplar. Modelo a ser imitado com as devidas adaptações materiais, na medida do possível (mas o importante é que seja sempre possível), por qualquer cidadão comum.

4) Ao final de 1977, a Globo atingiu sua fase mais ousada em termos de experimentação (que daria lugar a uma volta atrás, logo em seguida). No horário das oito, o horário dos grandes novelões, uma novela de Lauro César Muniz pretendia revelar ao público os bastidores da tevê, desmistificar a imagem do ator e o processo de produção das próprias novelas. Um projeto inviável sobretudo por ser executado dentro da chamada Hollywood brasileira. Em todo caso, *Espelho mágico* chegou a conter uma *metanovela – Coquetel de amor –*, a famosa novela-dentro-da-novela, que ironizava a tal ponto os clichês desse tipo de produto que o público não gostou nem um pouco da brincadeira. Ou se sentiu ofendido com a revelação? Mas o *Espelho* foi polêmico. Chico Anysio, por exemplo, não gostou da personagem vivida por Sônia Braga, uma atriz principiante que lançava mão de todos os recursos a seu alcance para fazer carreira. O humorista se ofendeu e desancou a novela no *Fantástico*. No domingo seguinte, o mesmo programa apresentava um debate-promoção da novela de Lauro César Muniz. A televisão tem essa agilidade: ela mesma cria o fenômeno que em seguida critica, debate, justifica, envolvendo ainda mais o público no julgamento desse fato social artificial. Antes de tudo, focaliza a si mesma: "Eu sou o espetáculo". A vida é amiga da arte, mas em televisão essas categorias se confundem. Melhor dizer: a cultura industrializada é amiga, sobretudo, de si mesma.

Aliás: no último capítulo de *Espelho mágico*, o personagem de Lima Duarte tirou a máscara e falou como ator em nome de todos os atores. Seu discurso de encerramento da novela reivindicava os direitos profissionais dos trabalhadores de teatro, cinema, circo e tevê e pedia a regulamentação da profissão. A censura deixou passar a maior parte das críticas do ator sobre as dificuldades de seu trabalho, sua dedicação, suas alegrias e sofrimentos, mas cortou a parte dos direitos autorais e da regulamentação da profissão. Ossos do ofício, implicações das regras do jogo: todo detentor de qualquer tipo de poder precisa de salvaguardas para se revelar ao seu público. No caso em questão (e em quantos outros?), a emissora talvez deva agradecer à proteção da Policia Federal.

Solidão em cadeia
Um dia qualquer, uma hora qualquer desses últimos dez anos. Um ponto qualquer do país (o que em termos de televisão significa qualquer município com mais de 50 mil habitantes; o resto não conta, porque o mercado consumidor potencial é muito pequeno para justificar qualquer investimento). Um brasileiro qualquer no isolamento de seu lar liga o aparelho de televisão e entra em cadeia

com todos os que supõe seus iguais, pelo resto do território nacional. Um brasileiro qualquer: o homem isolado, desinformado, conformado. O homem urbano ou subitamente urbanizado por força de um processo de industrialização violento (se em 1950 o Brasil tinha 40% de sua população nas cidades e 60% no campo, em 1977 a população urbana representava 65% do total contra 35% de população rural). O homem moderno e desenraizado cujas tradições, quaisquer que tenham sido, foram aceleradamente substituídas por crenças mais seculares e mais coerentes com o ritmo do país: a fé na felicidade via consumo, no poder das cadernetas de poupança, na viabilidade da casa própria e do carro do ano comprado com crédito facilitado; orgulhoso de seu terno novo e da bela fachada da agência bancária próxima à sua residência – assim como do supermercado inaugurado há pouco –, para sua maior comodidade. Esse é o homem convicto do progresso de seu país, que faz dele o cidadão participante de um novo sonho, endividado e angustiado, assoberbado de trabalho e desejos de ascensão. O filho calouro na faculdade de fim de semana, a mulher pedindo um segundo carro, a filha de cabelos cortados à *Pigmali*ão 70, a sogra orgulhosa da nova tevê em cores, a geladeira cheia de embalagens coloridas – margarina da moda em vez de manteiga, iogurte com frutas, pudim de pacote, tudo mais sedutor (e quem sabe um pouco mais barato).

O homem permanentemente insatisfeito cuja participação no processo político do país ficou limitada a concordar ou não com os apelos da ANP (Agência Nacional de Propaganda) ou com as mensagens editoriais do *Jornal Nacional*. O homem desentendido que perdeu em um curto período a imagem de seu país tal como o concebia havia dez ou quinze anos (uma imagem carregada de valores rurais, ainda que defasados em relação à época) e perdeu ao mesmo tempo seus canais habituais de articulação com a comunidade – "canais" que vão do campinho de futebol de várzea à participação sindical, da festa de rua às eleições diretas. A esse brasileiro resta o consolo da festa global, resta entrar em cadeia às oito da noite através do *Jornal Nacional* ou da novela do momento (e, sendo mulher, mais despudorada em relação a esse tipo de envolvimento, quem sabe até enviar uma carta a Janete Clair pedindo um final reconfortante?). A esse homem expropriado de sua condição de ser político resta a televisão como encarregada de reintegrá-lo sem dor e sem riscos à vida da sociedade, ao *lugar onde as coisas acontecem*.

Pois esse lugar é o próprio espaço da imagem televisiva, e esse é o principal papel que a rede líder em audiência representou na década. Ela é O Veículo. Ela fala para esses brasileiros como se falasse *deles* – sem deixar de considerar uma faixa importante dos mais marginalizados economicamente, para quem acena com a possibilidade de ser *como eles*. Ela absorve e canaliza suas aspirações emergentes e, cúmplice, põe no ar sua imagem e dessemelhança, capitalizando seus desejos para o terreno do possível. Sendo que os limites do possível também é a televisão quem condiciona sutilmente, impondo, com a força da imagem, padrões de comportamento, de identificação, de juízo e até mesmo um novo padrão estético, compatível com a nova fachada do país "em via de desenvolvimento".

Foi por volta de 1970, por exemplo, que os fins de ano na Globo (e nos *outdoors* por aí) se tornaram mais opulentos. As imagens do casal jovem e bem-sucedido, símbolo do Banco Itaú, diante de sua mesa farta de Natal confundiam-se com as da linda ceia de confraternização/encerramento da novela das sete. Entre um e outro comercial, os atores da Globo aparecem, todos juntos, convidando o público para sua festa: "Hoje é um novo dia/ de um novo tempo/ que começou / Nesses novos dias/ as alegrias/ serão de todos/ é só querer/ Todos nossos sonhos/ serão verdade/ o futuro já começou/ Hoje a festa é sua/ hoje a festa é nossa/ é de quem quiser/ quem vier..."[3]. O tema de fim de ano não mudou durante toda a década, como uma marca registrada da emissora que conservou sua fé no Brasil grande, atravessando crises econômicas e conjunturais, inabalável.

O Brasil não é mais aquele "subdesenvolvido" dos anos 1960. O "dia que virá" das canções de protesto perde o sentido no momento em que a Globo anuncia que "o futuro já começou". Se nos anos 1960, conforme escreveu Roberto Schwarz[4], a esquerda regeu e deu o tom da produção cultural consumida inclusive pela burguesia no poder, de 1969 em diante as coisas foram mudando e os "90 milhões em ação", que a tevê cantou até a exaustão por ocasião da Copa de 1970 e que podem ser traduzidos em termos mais concretos por 30 milhões em audiência, não desejavam outra coisa senão ser bem-sucedidos, direta (no sentido da ascensão social individual e da conquista de símbolos de *status*) ou indiretamente (através da identificação com uma nação vencedora, um país que vai para a frente, o país do futuro onde o futuro é hoje, e tal).

O padrão Globo de qualidade, que se firmou sobretudo a partir de 1973 com a chegada ao Brasil da televisão em cores, é incompatível com a estética do subdesenvolvimento criada por produtores culturais de esquerda – os teatros de Arena e Oficina (considerando, evidentemente, as diferenças entre suas pro-

---

[3] Marcos Valle, "Hoje é um novo dia".
[4] Ver Roberto Schwarz, "Cultura e política, 1964-1969", em *As ideias fora do lugar: ensaios selecionados* (São Paulo, Penguin Classics Companhia das Letras, 2014), p. 7-46.

postas), os Centros Populares de Cultura (CPCs), o Cinema Novo. A opulência visual eletrônica criada pela emissora contribuiu para apagar definitivamente do *imaginário* brasileiro as imagens e a ideia de miséria, de atraso econômico e cultural; e essa imagem glamorizada, luxuosa ou, na pior das hipóteses, antisséptica (quando é imprescindível mostrar a pobreza, convém ao menos desinfetá-la: em vez de classes miseráveis, um povo "humilde, porém decente", para não chocar ninguém) contaminou a linguagem visual de todos os setores da produção cultural e artística que se propõem a atingir o grande público. Atualmente, a estética da fome pegaria muito mal, e não só porque as condições do capitalismo no Brasil evoluíram. Hoje o país é mais tropicalista do que nunca – o desenvolvimento desigual e combinado produz imagens grotescas, o mendigo guardando a comida achada no lixo em uma sacola de butique cara, o aparelho de televisão no barraco do favelado, a mulher da roça tentando curar a desnutrição do filho com antibióticos –, mas a Globo despreza solenemente a estética do tropicalismo. No entanto, a emissora é, a despeito de sua vontade, a própria síntese do que o tropicalismo cantou e ridicularizou dez anos atrás: o símbolo da tropicália, o Troféu Superbacana, conquistado pela burguesia multi(nacional) como prêmio por fazer com que o processo de expansão do capitalismo aqui parecesse um processo honrado, sério, meritório.

Um só corpo, uma só nação
Pronunciamento do ministro das Comunicações em dezembro de 1973: a Globo foi a única emissora de televisão que cumpriu até então as exigências do Governo Federal – "a transmissão eletrônica de recreação, informação e educação nas mãos da iniciativa privada, alicerçada numa sólida estrutura de empresa moderna".

> "A partir de 73, quando completou a parte mais expressiva da expansão da rede [...] todo esforço da Globo foi orientado no sentido da elaboração de uma nova programação [...]. A TV vive de um *universo quantitativo*; essa ideia, e a de integração nacional, acabaram com a imagem de programas específicos para cada região [...]. "O maior mal da televisão brasileira sempre foi a falta de unidade no comando das empresas [...]. A Globo tratou de formular uma programação que induz a esse *universo global*.[5]

A "sólida estrutura de empresa moderna" a que se referia o ministro Hygino Corsetti, fortemente centralizada em sua direção, como propunha Walter Clark,

---

[5] Declarações de Walter Clark à revista *Banas*, 13 maio 1974.

resultou no sucesso não apenas da Rede Globo de Televisão, mas de todo um corpo de empresas, as Organizações Globo, que abrange um jornal, sete emissoras de rádio, cinco emissoras de TV com dezoito afiliadas e centenas de estações retransmissoras; uma editora (Rio Gráfica), uma gravadora cuja base mais forte de vendas são as trilhas sonoras das novelas do momento (Som Livre), uma empresa de promoção de espetáculos (Vasglo), uma empresa de promoção e galerias de arte (Global) nas principais capitais do país. Em 1977, foi criada a Fundação Roberto Marinho (provavelmente com vistas a diminuir os impostos sobre os formidáveis lucros das empresas das Organizações Globo), para "prestar serviços à comunidade", concentrando suas atividades nas áreas de cultura, esportes e educação.

Mediante convênios com o Governo Federal ou governos estaduais, a fundação passou a intervir em outras áreas da vida nacional, com programas como o de preservação do patrimônio artístico e histórico nacional, em perfeita sintonia com os objetivos do Plano Nacional de Cultura do governo Geisel, na gestão do ministro da Educação Ney Braga, que colocou a preservação da memória nacional (memória de quem?) como meta prioritária. (Por coincidência ou não, a outra meta prioritária do PNC/77 era a "identificação do estilo brasileiro de vida", para a qual a televisão muito contribui lançando modelos de comportamento fabricados em São Paulo e no Rio para todo o território brasileiro.) O programa propõe, além da "conscientização e interesse da população" para o assunto, o engajamento direto da Fundação Roberto Marinho no trabalho de conservação e restauração das cidades históricas do Rio de Janeiro e de Minas Gerais.

Além disso, o programa prevê interferências na questão do lazer nos grandes centros urbanos (quase como uma reparação pela distorção dos hábitos de lazer criada pela própria televisão...): a fundação criou um programa de bolsas para atletas brasileiros em convênio com a Organização dos Estados Americanos (OEA) – o melhor bolsista tem direito a um mês de treinamento nos Estados Unidos, um técnico norte-americano vem ao Brasil pelo convênio para treinamento da seleção de futebol que vai competir em Porto Rico etc. No Rio, mantém núcleos esportivos na Mangueira, no Estácio e na Cidade de Deus, além de desenvolver o programa Futeboys, de torneios entre equipes de *office-boys* organizadas por empresa de maneira a promover não apenas o lazer dos menores assalariados, mas também sua maior identificação com a camisa da empresa em que trabalham. Em colaboração com programas das prefeituras de São Paulo e do Rio, inventou o Globinho/Ruas de Lazer, levando atividades recreativas às ruas de lazer das prefeituras. Inventou também um tal "Domingo Alegre", que consiste em promover manhãs de ginástica recreativa para pais e filhos, a cada mês em um bairro do Rio de Janeiro.

Finalmente, atuando de maneira direta sobre a questão educacional, criou o Telecurso Segundo Grau, em convênio com a Fundação Padre Anchieta, oferecendo ao Estado os préstimos da iniciativa privada para sanar (e ao mesmo tempo, em se tratando de uma grande rede nacional de televisão, para unificar definitivamente) os déficits do sistema educacional brasileiro, por meio de aulas de quinze minutos de duração levadas ao ar diariamente em dois ou mais horários, por 39 emissoras da Globo e TVs educativas, atingindo todos os estados brasileiros, desde julho de 1978.

No programa do Telecurso, surge com maior evidência a preocupação em integrar/uniformizar/unificar o processo de informação/formação da chamada "opinião pública" no Brasil: "As aulas na TV têm a vantagem de o veículo permitir a otimização do processo ensino-aprendizagem, pela vantagem que apresenta de unificar as diretrizes educacionais, por ser uma *fonte única de onde emanariam instrução, sugestão e controles, evitando dispersão didática e formativa*"[6]. O tratamento empresarial da educação, em termos de otimização de recursos, economia didática e formativa, reforça o enfoque político que propõe o controle centralizado do processo de aprendizagem, utilizando a tevê como "força decisiva no domínio da informação", como se as emissoras fossem veículos neutros que, "sem ignorar diferenças regionais nem massificar a juventude", fossem capazes de colaborar decisivamente com o "desenvolvimento harmonioso do país, [seus processos de] mudança, modernização e igualdade de oportunidades"[7].

Um ano depois de inaugurado o Telecurso Segundo Grau, 46% dos alunos que prestaram exame de segundo grau haviam se preparado pela televisão, quebrando o monopólio dos cursinhos supletivos. Do ponto de vista do aluno, a vantagem maior da educação pela televisão talvez seja justamente aquela que o Estado deveria oferecer – a gratuidade do ensino, uma vez que ele não paga (ou não percebe que paga; pois, em última instância, de quem é o mais-valor que sustenta a publicidade que sustenta a televisão?) pelos quinze minutos diários de "aulas padrão Globo", apresentadas por atores famosos e cheias de imagens coloridas muito mais bonitas que as de uma sala de aula comum.

---

[6] *Mercado Global*, set.-out. 1978; grifo meu.

[7] Discurso de Roberto Marinho às autoridades de Brasília em 19 abr. 1978, publicado em *Mercado Global*, set.-out. 1978

Não contente com o bom cumprimento de seus deveres cívicos através da Fundação Roberto Marinho, a empresa mais representativa e mais poderosa da indústria cultural brasileira criou ainda outra forma de interferência na vida social, de maneira a atenuar mais um pouco os pontos de atrito ou mau funcionamento do sistema da qual é uma das maiores defensoras e beneficiadas. A divisão de Projetos Especiais da Globo propõe aos anunciantes uma nova relação com o público, mediante as campanhas promovidas pela emissora em convênio com qualquer empresa interessada. Assim, com um enfoque menos comercial e mais institucional, cria-se a "possibilidade de o anunciante prestar um serviço comunitário ou cultural que só dignifica sua imagem junto ao público"[8], contribuindo simultaneamente para o bom comportamento e o bom ajustamento desse público à ordem social.

Baseado nas tensões emergentes entre as classes médias do país em consequência da deterioração da qualidade de vida nas grandes cidades, o convênio Globo-Unibanco, por exemplo, lançou a campanha "Guie sem Ódio" em 1974, referindo-se à crescente violência no trânsito. 'Mexa-se", em 1975, propunha ao homem urbano que não estragasse sua saúde com uma vida sedentária – que lhe é imposta a partir do momento em que é condicionado a viver em apartamento, sair cada vez menos da cidade por falta de condições econômicas, perder várias horas por dia em condução, aumentar constantemente a jornada de trabalho para compensar o efeito da inflação sobre os salários e, é claro, despender seu tempo de lazer sentado diante da televisão. Em seguida, a campanha "Desarme-se" propunha maior cordialidade nas relações sociais, também tendo como alvo a crescente onda de violência urbana. Outras campanhas menores foram lançadas, muitas vezes com linguagem bem próxima à daquelas promovidas pelo Governo Federal (ANP). Por ocasião das enchentes que arrasaram o Recife, foi feita em Pernambuco a campanha "Defesa da Cidade". A Bolsa de Valores de São Paulo lançou "É Hora de Confiar", e o Bradesco, uma campanha de esclarecimentos sobre a utilidade do Imposto de Renda.

A proposta parece ter pegado bem e, nos fins de ano, as grandes instituições financeiras têm deixado de anunciar diretamente seu principal produto – o mais-valor do trabalhador brasileiro transformado em lucro, por sua vez transformado em "rendimentos" para o investidor – para se colocarem na posição de principais defensores de valores humanísticos em extinção: o Bradesco propõe que "Neste

---

[8] *Mercado Global*, maio-jun. 1977.

Natal... leve um presente a uma criança que não tem papai", o Banco Nacional sugere otimismo e confiança ("Quero ver você não chorar/ não olhar pra trás/ nem se arrepender do que faz"), o Banespa anuncia-se como o "banco de um novo tempo" e conclama os homens a, todos juntos, "galgar as colinas da terra até o topo do mundo", e por aí vai. Uma sociedade em que o capital financeiro se coloca como tutor da caridade, da fé e da solidariedade por meio de um onipresente sistema de comunicações parece de uma organicidade quase perfeita.

No final de 1978, a enorme campanha lançada pela Globo por ocasião da abertura do Ano Internacional da Criança (Unesco) arrecadou em um dia mais de 20 milhões de cruzeiros só em dinheiro, além de receber milhares de doações de outros tipos, ficando 24 horas no ar e provando que, transformada em espetáculo bem empresariado, uma atividade beneficente pode se tornar sucesso nacional. Além disso, a Globo provou ser uma instituição poderosa o suficiente para criar um acontecimento social, um fato político de maior penetração na consciência das pessoas do que toda a atuação da Unesco somada, ou de maior impacto do que a existência, no Brasil, de 70% de crianças desnutridas numa população de 23 milhões de crianças de 0 a 6 anos. Uma promoção de grande repercussão para propor que cada indivíduo contribua com um pequeno gesto caridoso – um gesto bem-comportado, o gesto solicitado e permitido – para que tudo possa permanecer como sempre esteve, criando ao mesmo tempo uma válvula de escape para o desconforto que pode causar a situação de miséria da infância no Brasil.

A *máquina de sugar cérebros*
Quando se pensa na televisão como "sugadora de cabeças", logo vem à mente a imagem criada por Jaguar no *Pasquim*, do monstro diabólico esvaziando de qualquer conteúdo inteligente, como um aspirador, a cabecinha passiva de seus espectadores. Não gosto da imagem: nem a televisão é tão poderosa assim, nem a cabeça do público é tão passiva, nem o processo pelo qual uma e outra interagem equivale a uma mera relação sugadora. Para manter seu público atento, a televisão precisa saber preencher lacunas de insatisfação, dar nome ao que ainda não foi dito, dar forma ao inconsciente coletivo, ordenar o caos das chamadas "manifestações espontâneas", conferindo-lhes um significado único antes que outro aventureiro lance mão da tarefa de compreendê-las. Precisa curto-circuitar processos sociais, ou seja: tomá-los sob sua tutela desde o embrião. Os homens de tevê bem-sucedidos (assim como os de publicidade) precisam afiar sua intuição para farejar tendências latentes e fazer delas a *sua* proposta, aparando evidente-

mente todas as arestas que possam prejudicar o bom funcionamento da ordem social. Para manter seu público fiel, a televisão precisa recriar o mito a cada dia, apropriar-se das falas marginais ou de vanguarda, enquadrar os malditos. Ela é o aparelho reprodutor de ideologia por excelência, o mais ágil, o mais eficaz por suas próprias características, tanto como veículo quanto pela relação íntima que mantém com as tendências de consumo de bens materiais na sociedade, pois sobrevive e enriquece exclusivamente à custa da publicidade – e, portanto, do controle e conhecimento das tendências de seu mercado consumidor.

Os cérebros que a televisão "suga" são aqueles que ela absorve para incorporar em suas fileiras. Autores e atores, humoristas, dramaturgos, jornalistas, diretores de cinema e teatro, técnicos especializados e cenógrafos de todos os campos de produção artística foram absorvidos aos bandos pela tevê e, mais especificamente, pela Globo, que engoliu inclusive os melhores profissionais criados por outras emissoras concorrentes. Seu enorme poder de sedução é facilmente explicável. Em primeiro lugar, ela oferece salários mais altos, embora para a grande maioria de seus trabalhadores o alto nível salarial não passe de uma miragem que lhes acena de longe, do alto da escalada do sucesso – para a qual "muitos são os chamados, mas poucos os escolhidos". Se autores de novelas como Janete Clair e Lauro César Muniz chegam a ganhar, respectivamente, 300 ou 200 mil cruzeiros* mensais trabalhando num esquema de revezamento que lhes garante férias a cada seis ou sete meses (toda vez que terminam um roteiro), a maioria dos atores de *O astro* (1977-1978) ganhava cerca de 5 mil cruzeiros** por mês, segundo declarações do próprio diretor da novela à imprensa.

Os figurantes da Globo são contratados por meio de agências que lhes oferecem de 200 a 500 cruzeiros por dia de trabalho, que pode durar quatro, sete ou dez horas – e o figurante deve estar disponível todo o tempo. Por ocasião da gravação do último capítulo de *Dancin' Days* (janeiro de 1979), cerca de duzentos figurantes estiveram das oito horas da manhã às nove horas da noite à disposição da direção, no salão nobre do Copacabana Palace, onde deviam fazer fundo para a festa de inauguração da boate de seu Alberico (Mário Lago). Deviam arrumar figurinos por conta própria, pois a emissora só forneceria as roupas dos atores. Da mesma forma, não tiveram nenhuma refeição paga pela Globo, nem horário estipulado para almoço ou jantar durante as treze horas de trabalho – tinham de correr aos

---

* Em valores atuais, R$101.184,56 e R$70.789,71, respectivamente. (N. E.)
** Em valores atuais, R$1.769,74. (N. E.)

bares vizinhos, nos intervalos forçados entre uma cena e outra. Para os técnicos de televisão em geral – cenógrafos, câmeras, maquiadores, figurinistas, esse elenco anônimo que compõe a infraestrutura de qualquer programa –, essas jornadas de doze ou quinze horas de trabalho, desde muito antes de começar a gravação até depois de os atores terem sido dispensados, são consideradas normais[9].

As vantagens de trabalhar na Globo? Talvez pagar em dia a quantia estipulada na carteira de trabalho, coisa que muitas das outras emissoras não garantem a seus assalariados (entre elas, no topo da lista, está a Tupi, do grupo Diários Associados, recordista em problemas trabalhistas). Mas, antes disso, a emissora conta com um fator mais subjetivo e nem por isso menos poderoso: o *status* conferido a quem transita dentro da instituição mais popular do país. "Do faxineiro ao figurante, da moça do cafezinho ao jornalista, não há quem não sonhe em ser 'gente da Globo', como o Bozó, do Chico Anysio", comenta Daniel Filho: "A Globo representa em termos nacionais o que a Metro Goldwyn Mayer representou em escala mundial na década de 1940". Walter Avancini, homem da Globo durante sete anos, principal responsável pelo núcleo das novelas das 22 horas até o início de 1979 (hoje contratado pela Tupi como diretor do departamento de jornalismo), também reconhece o prestígio da Globo como empresa e como mercado de trabalho:

> mas ela nunca ofereceu uma infraestrutura trabalhista compatível com as necessidades de seus assalariados. Considero inclusive que esses quinze anos de repressão facilitaram muito o comportamento empresarial da Globo, pois, com a ausência de sindicatos fortes e a impossibilidade de se reivindicar direitos trabalhistas por meio de greves etc., todo trabalhador da emissora foi obrigado a aceitar as precárias condições que ela impõe. Qualquer reação podia ser considerada subversiva.

Mas, segundo o próprio Avancini, essa realidade não corresponde à imagem que as pessoas fazem da Globo como empresa. O prestígio da emissora, a opulência de suas produções, a alta qualidade técnica – quase um preciosismo eletrônico – de sua imagem e sua penetração pelo território nacional são fatores que "contaminam" as expectativas do trabalhador em relação às condições de trabalho lá dentro. É quase um orgulho sofrer para botar o *Fantástico* no ar. É um sonho para quem trabalha em outras emissoras de televisão. É uma eterna possibilidade de se sentir participante do que acontece no país e uma eterna perspectiva de vir a

---

[9] Tive a oportunidade de entrar no hotel Copacabana Palace e entrevistar vários figurantes nessa ocasião.

interferir mais diretamente – quem sabe o iluminador não terá alguma oportunidade de mostrar suas qualidades como humorista? E a moça que toma conta dos guarda-roupas, ali tão pertinho dos atores, não vai ter um jeito de saber antes de todo o mundo o fim da novela e contar no seu bairro? A figurante mais bonitinha não pode vir a ser "descoberta" pelo diretor e convidada para uma ponta na próxima novela? "Mas eles tratam a gente que nem cachorro", lamenta-se uma figurante mais velha, descansando um minuto no banheiro do Copacabana Palace. "Eu perguntei pra Yolanda [Joana Fomm] se ela ia fazer as pazes com a Júlia [Sônia Braga], e ela nem me olhou. No fim da gravação o Daniel fez o maior discurso agradecendo ao elenco, um por um, e nem falou no trabalho da figuração."

Diferente da motivação desses trabalhadores anônimos é a dos grandes atores e autores de outras áreas – principalmente do teatro – que trocaram o palco pelas câmeras. Ou, segundo a expressão mais comum a todos eles: trocaram a oportunidade de se comunicar com 10 mil, 20 mil ou no máximo 100 mil pessoas numa temporada pela chance excepcional de falar para 20 milhões ou 30 milhões em uma única noite. "Em 1968, o teatro estava muito cerceado; eu tinha duas opções: ou tinha que ser funcionário público ou ia para a TV. Mas não existe o que discutir: se você luta por um teatro de massa, como recusar um público de 20 milhões? A TV é boa ou não, dependendo de quem faz; e limitações também existem no teatro"[10]. Com uma trajetória completamente diferente da do teatrólogo/novelista, a atriz Aracy Balabanian apresenta, no boletim para a imprensa da Globo, de 30 de abril de 1977, um discurso muito parecido:

> Meu trabalho em televisão começou em 1965 por uma necessidade de contato com pessoas mais simples, de falar para uma plateia cada vez maior... Gostaria de fazer só isso [teatro], mas meu trabalho como gente tem que ser socialmente uma coisa maior. E a TV está aí, não posso negar. Quando faço televisão estou assumindo meu momento... Na TV, o artista entra em contato direto com o povo, entra em suas casas, fica sabendo o que as pessoas gostam...

O dramaturgo Paulo Pontes (falecido em dezembro de 1976), do antigo grupo de teatro Opinião, na década de 1960, e um dos responsáveis pela série *A grande família*, que a Globo levou ao ar de 1972 a 1975, afirmava: "A TV é um veículo essencialmente democrático; pode ser ligado por qualquer um... O grande tema é o que interessa à maioria da população, o que não quer dizer que exista contradi-

---

[10] Dias Gomes à revista *Veja*, 29 jun. 1977.

ção entre qualidade e televisão, mas sim entre a TV e a linguagem aristocrática". Seu companheiro de teatro Opinião e de Globo, em *A grande família*, Armando Costa, justifica o ritmo da "linha de montagem" de um programa de televisão, às vezes em detrimento da qualidade do produto: "Se semanalmente milhões de pessoas sobrevivem nas piores condições, por que um programa de tevê não pode sair a cada sete dias?".

A busca de um público maior é compatível com a industrialização generalizada da produção de bens materiais no país e com a penetração maciça da indústria cultural em todas as áreas da produção de bens simbólicos, o que cria uma nova mentalidade quanto à relação do espectador com a obra de arte: agora, o circuito pequeno, regional ou local, parece inútil, patético. A peça única transforma-se num luxo descabido; a linguagem experimental, intimista ou mais elaborada, é vista como "aristocrática". O fenômeno não é causado *pela* televisão, mas pelo desenvolvimento do país, que incorpora novas e diferenciadas faixas sociais ao mercado de consumo cultural e desperta o artista para uma contradição típica das sociedades de classes. Mas a tevê surge, isso sim, como o diluidor da contradição, o veículo democrático que contorna as barreiras de classe e de linguagem, transforma a qualidade em quantidade e estende a mão para os produtores de cultura que buscam desesperadamente fugir do ostracismo a que as propostas intelectualizadas de esquerda dos anos 1960 os haviam relegado. O dramaturgo Oduvaldo Vianna Filho, falecido em 1974, ex-Centro Popular de Cultura (CPC), ex-Opinião e também homem da Globo (*A grande família* e inúmeros episódios de *Caso Especial*), também resolvia seus conflitos entre os diferentes tipos de veículo dizendo que se recusar a trabalhar em televisão em pleno século XX é, no mínimo, burrice.

Talvez seja. O último dos "cooptados", o ator Paulo Autran, que até 1976, num debate em que se discutia se o ator de teatro deve fazer tevê (revista *TV Guia*, n. 2), dizia "*Não*" – em oposição a outro ator, Raul Cortez –, foi parar na novela *Pai herói*, de Janete Clair, em 1979. Um novelão folhetinesco no qual seu talento colaborou para melhorar um pouco o personagem Bruno Baldaracci, um mafioso perdido na Baixada Fluminense, bufão e caricato. Dennis Carvalho, ator bem mais jovem criado pela Tupi e posteriormente comprado pela Globo, reafirma seu deslumbramento pelo poder do veículo: "A tevê é fascinante. O que você perde em complexidade ganha em penetração". E o diretor Daniel Filho, em entrevista ao *Jornal do Brasil* (24 de julho de 1977), leva um pouco mais adiante a questão do aparente dualismo entre quantidade e qualidade na televisão:

Temos que pensar que as populações brasileiras são muito diferentes entre si. Para se fazer algo popular e nacional deve-se procurar uma linguagem comum e aceitar as regras. Atingir quase todos ao mesmo tempo não é brincadeira – temos que pôr os pés no chão e voar ao mesmo tempo.

Nivelar para nivelar
Ou seja: não há dualismo entre qualidade e quantidade, mas a fabricação de uma nova qualidade. De uns dez anos para cá, pelo menos, os intelectuais, artistas e acadêmicos que falavam em "cultura brasileira" tentando enfiar no mesmo saco manifestações as mais diversas e preocupados já há muito tempo em atingir setores "populares" diferentes da burguesia são forçados a reconsiderar seus conceitos a partir do fenômeno televisão. E, mais importante, a partir da formação das grandes redes nacionais, como no caso da Globo, que transmite simultaneamente via Embratel para 96% dos municípios brasileiros com mais de 50 mil habitantes desde 1975. Se, nas declarações acima, é evidente a impressão de que a tevê simplesmente transforma "qualidade em quantidade", não parece nada evidente a nenhum dos entrevistados qual seja o resultado do novo "salto qualitativo' que ela promove, ao jogar uma produção específica num circuito tão ampliado, tão desigual e ao mesmo tempo tão padronizado no que se refere à própria relação com a televisão: doméstica, cotidiana e capaz de conferir a qualquer assunto, a qualquer obra de arte, o mesmo tratamento que confere aos filmes de publicidade. Ou, o que é ainda mais confuso, capaz de abordar no mesmo tom e com a mesma inconsequência, por exemplo, o julgamento de policiais que torturaram até a morte um operário e os resultados de um jogo de basquete; de conferir o mesmo tratamento a um *show* ao estilo parada de sucessos, a um festival universitário e a uma apresentação do balé Bolshoi, de maneira a mobilizar, em seus espectadores, sempre o mesmo tipo de emoção, de atenção e de tensão.

A entrada maciça da televisão em 19 milhões de lares brasileiros e, por outro lado, a absorção, pela produção televisiva, de qualquer tipo de proposta cultural gerada aqui ou no exterior, agora ou no passado, por autores conservadores ou revolucionários, transforma substancialmente a relação do "público" (uma categoria que a indústria cultural tenta fazer passar por natural, mas que é criada por ela mesma) com a cultura dominante. Pois a televisão é capaz de fundir, sem escapar dos termos da ideologia dominante – ou melhor, a reiterar continuamente essa ideologia – padrões, valores e expressões culturais marginais, minoritárias e de oposição. A essa agilidade do veículo, a essa capacidade de neutralizar qualquer proposta e transformar tudo no que ela é, refere-se Theodor Adorno ao dizer que a indústria cultural tem uma necessidade voraz da *novidade* para poder recriar continuamente a *mesma coisa*. Essa "mesma coisa" é simplesmente o espetáculo, a *distração*. O grande mérito inovador da Globo foi ter percebido, antes das outras emissoras, que um programa de televisão poderá dar-se ao luxo de tratar de conteúdos mais ousados, mais atuais, mais "realistas" (termo que resume as pretensões mais revolucionárias da emissora nesta década), se souber transformar tudo em objeto de distração, ou seja: literalmente, aquilo que o público consome *distraído*, entre um comercial e outro, entre a sobremesa e o cafezinho, entre o noticiário esportivo e as chamadas para a próxima novela.

Ao absorver expressões culturais diversificadas e transformá-las de acordo com as características técnicas e as limitações políticas do veículo, a televisão subverte a própria natureza desses produtos. Um balé, um "filme de arte", um debate entre intelectuais, uma cena real de violência, uma adaptação literária – através da tevê, já não são mais (como temia Ferreira Gullar na década passada) "inacessíveis ou incompreensíveis para o povo", se é que o problema era de acessibilidade. Mas também não são mais o mesmo balé, o mesmo debate, a mesma cena violenta e real. O veículo, o circuito, a "aura" e o tipo de consumo (ou fruição) também fazem parte da natureza da obra de arte – e a todos esses elementos a televisão contaminou, pela relação padronizada que impôs entre a obra e o consumidor, além de subverter a própria forma das obras ao adaptá-las às suas necessidades básicas das mais corriqueiras: tempo máximo de cinquenta minutos picotado em três ou quatro intervalos comerciais, exigências de picos de suspense para não dispersar o público durante esses intervalos, necessidade de diluição da linguagem para não se afastar de nenhum setor potencial de seu mercado consumidor etc.

É preciso não esquecer que a televisão é o veículo cuja relação entre produção e comercialização é mais evidente e mais direta. Não se trata *apenas* do fato de ela veicular, quase na mesma linguagem, publicidade e cultura, informação e propaganda, a ponto de ter criado a sofisticação do *merchandising*. Não se trata *apenas* do fato de o padrão estético dos filmes publicitários ter influenciado e forçado o desenvolvimento do padrão visual dos programas de televisão. Trata-se do fato de que qualquer nova proposta, em televisão, tem sua viabilidade avaliada em termos de conquista de novas faixas de público porque a conquista permanente de audiência é vital para a tevê; e essa conquista não é aferida em números reais como a venda de ingressos para uma peça de teatro ou um jogo de futebol. São números-fantasmas que assombram o departamento de criação de uma emissora de televisão, com os quais precisa acenar para o anunciante em termos de perspectiva de abertura de mercado, como horizonte de investimento, como tendência de setores consumidores... e que por isso mesmo não podem nunca oscilar para baixo, pois, por mais insignificante que seja essa oscilação, será igualmente fantasmagórica, assustadora, passível de interpretações que provocarão outras oscilações desproporcionais nos lucros da empresa.

Assim, se o tema da *integração nacional* é um dos principais pontos de confluência entre a política cultural dos governos Médici e Geisel e a política de expansão e unificação da programação da rede Globo, existe um terceiro termo, ligado ao modelo de desenvolvimento econômico tanto do país em geral quanto da televisão em particular, responsável pela afinidade entre os dois primeiros. "Integrar a nação' pode significar, em termos políticos, afinar o coro dos descontentes de acordo com o tom ditado pela minoria satisfeita; mas também significa incorporar setores marginais ao mercado, padronizar aspirações e preferências, romper com tradições regionalistas e modernizar hábitos de acordo com as necessidades dos produtores de bens de consumo supérfluos que se expandiram nesta década. Da mútua dependência entre necessidades políticas e econômicas e da possibilidade da tevê de conciliar exigências de ambos os lados, resulta o êxito da Rede Globo, que conseguiu ser, no fim da década, o produto mais bem-acabado do acordo entre militares e burguesia. Mais bem-sucedido, inclusive, que cada uma das partes a ela associadas...

Avanços preventivos
Em conferência pronunciada na Escola Superior de Guerra (ESG) há cerca de dois anos, Mauro Salles, ex-jornalista da Globo, publicitário e dono de uma das maiores agências do Brasil, analisa as desigualdades regionais do país considerando dados de analfabetismo e da marginalização econômica de parte da população. Para ele, o trabalho urgente das "empresas de comunicação social" consistiria em "incorporar ao mercado de consumo o quarto estrato da população, esses 20 milhões de sub-brasileiros que são responsabilidade de toda a nação", pois: "Na miséria, na fome, na opressão e na desesperança não existe opinião pública".

Sugere, então, os rumos para a publicidade no Brasil, considerando que 30 milhões de brasileiros são jovens e estudantes, consumidores em potencial e futuros líderes da população: "Temos que estar preparados para seus novos símbolos de *status*, não mais ligados apenas a posse, propriedade, moda e dinheiro... olhar para a frente e atender a essa geração que será produto da nova sociedade da informação" – sociedade em que, para o conferencista, as grandes revoluções pacíficas foram realizadas *pela* indústria cultural: "O fenômeno *hippie*, a contracultura, o despertar da luta contra a poluição, a destruição de preconceitos sexuais, a emancipação feminina, a revolta contra a massificação da moda etc.". (Mauro Salles talvez tenha razão: a indústria cultural, ao absorver todos esses movimentos e reproduzi-los segundo sua versão, termina por recriar cada um deles, semelhante na forma e esvaziado em seus conteúdos mais radicais, lançando-os num circuito internacional e produzindo infinitas repercussões no âmbito da criação de novos bens de consumo, simbólicos ou não.)

Por isso tudo, a propaganda hoje (e a programação que a reboca) teria de mudar "para responder às questões dessa nova geração consciente que surge". O conferencista prega na ESG o fim da censura, que impede a participação livre e segura dos meios de comunicação na formação da opinião pública, e conclui: "contem o presidente Geisel, as Forças Armadas e os legisladores com o apoio de todos os meios de comunicação social deste país, que, acima de seus debates e controvérsias, colocam sempre seu compromisso em orientar e conduzir a opinião pública na sua luta permanente contra a radicalização, na busca de caminhos da justiça, do progresso, da ordem e da democracia".

Em outro ensaio publicado na revista *Mercado Global*, de janeiro-fevereiro de 1978, o professor Carlos Alberto Rabaça, diretor de comunicações da Shell e chefe do departamento de Comunicação da Universidade Federal do Rio de Janeiro (UFRJ), refere-se à importância da informação como fator de desenvolvimento nacional. A desinformação seria, a seu ver, responsável pela gênese de focos de intranquilidade pública e perigo para a segurança nacional. Informar seria, portanto, essencial para se prevenir "a insegurança causada pelo silêncio: surgimento de suspeitas e temores, desenvolvimento de manobras nocivas", sendo que, em contrapartida, "o silêncio nas informações gera cautela nas atividades econômicas". Propõe então maior circulação da informação entre as diferentes camadas da população, "mas nunca desvinculada da necessidade de controlar seus limites, na procura de liberdade com responsabilidade".

O pensamento dos dois "comunicadores sociais", afinados com os ideais de crescimento econômico e "desenvolvimento harmonioso" da sociedade brasileira sob a batuta dos interesses empresariais e com a "colaboração de todos" (sic), ilustra perfeitamente a necessidade de que uma grande empresa de comunicações, como a Globo, esteja sintonizada com todos os aspectos da realidade nacional. Todas as tendências modernizantes ou mesmo vanguardistas da linha de programação da Globo, situadas mais ou menos a partir de 1973, quando a emissora fixou definitivamente o padrão de seus produtos e a liderança na audiência, explicam-se por aí. A Globo, através de programas que já se tornaram tradicionais, como o *Globo Repórter* e suas ousadias jornalísticas, os espetáculos musicais da série *Brasil Especial*, as telenovelas das oito especializadas em abordar grandes temas nacionais e as antigas novelas das dez, mais polêmicas e ousadas em forma e conteúdo, até os atuais seriados que absorvem inclusive propostas nitidamente de esquerda dos anos 1960, vem se caracterizando por ser uma emissora cuja programação nacional suplanta a importada no chamado horário nobre e que procura "tratar seriamente os problemas sociais que o povo enfrenta dia a dia ao invés de inventar melodramas escapistas", como escrevem os estadunidenses Elihu Katz e George Wedell em seu livro *Broadcasting in the Third World: Promise and Performance* [Transmisão no Terceiro Mundo: promessa e desempenho][11]. Os autores concluem que "a TV só conquista *status* se utilizar valores artísticos e culturais de todos os campos de arte do próprio país" e, apesar de sua discutível avaliação do que seja o tratamento sério conferido pela Globo aos problemas sociais, acertam em cheio no que consiste à fórmula do sucesso da emissora.

    Os ideólogos da Globo simplesmente perceberam que, melhor do que omitir os problemas e calar as exigências da realidade social, é encampá-los sob sua tutela. As reivindicações por "mais realismo", "menos fantasia", "menos ilusão" e outras, vindas de setores mais avançados do público e dos próprios críticos, serviram de orientação à estratégia de programação da emissora, que buscou, no âmbito do senso comum, falar da realidade brasileira, colocar o "povo" no vídeo e não omitir nem mesmo os fenômenos criados pelas vanguardas da sociedade – como a libertação sexual, os movimentos ecológicos anticonsumistas e outros –, que, aliás, constituem excelentes chamarizes para a curiosidade das massas menos informadas e marginalizadas, se abordados, evidentemente, com o devido cuidado para que as tais massas não os considerem "incompreensíveis".

    Assim a Globo ingressava na fase da abertura política do país, com propostas que antecederam a própria dimensão governamental e preveniram inclusive sua necessidade, para melhor controle e apaziguamento dos setores insatisfeitos da população – a tal "integração harmoniosa" da nação brasileira. Como uma esponja, como o "pulmão da sociedade" a que se refere brilhantemente Mauro Salles, ela aspira e absorve tendências e necessidades emergentes, canalizando-as para sua programação, dirigindo assim o próprio debate que pode ocorrer em torno desses

---

[11] Nova York, Macmillam, 1978.

fatos; porque, na sociedade das mídias, um fato social também é a sua versão – e frequentemente a versão pode se tornar mais poderosa que o fato.

No entanto, não é absurdo que hoje, apesar da maior margem de ação que o governo Figueiredo permite aos órgãos de informação e aos produtores de cultura no país, a Globo recue em vez de continuar avançando e adote uma atitude *mais realista que o rei* em termos de censura interna. O *Jornal Nacional* deste segundo semestre de 1979 pode ser confundido com um *press-release* da Secretaria Especial de Comunicação Social (Secom), tal o destaque que dá a pronunciamentos governamentais e aos convescotes que o presidente vem realizando país afora em busca de popularidade. O *Globo Repórter* abandonou estranhamente sua linha de grandes reportagens sobre temas polêmicos nacionais e voltou a preencher seu horário com enlatados sobre parapsicologia, a vida dos animais selvagens, os grandes monstros de terror do cinema, as mais recentes descobertas tecnológicas da medicina e outras norte-americanices do gênero. A estratificação por horários se acentua para as telenovelas, e as velhas fórmulas do começo da década se reafirmam: literatura romântica para as 18 horas (*Cabocla*), romancinhos leves com certo toque de humor às 19 horas (*Marrom glacê*), dramalhões às 20 horas (*Pai herói, Os gigantes*), restando para as 22 horas a possibilidade de ser o horário inteligente, com os novos seriados nacionais que mesmo assim ainda não chegam ao padrão atingido pelo antigo *Caso Especial*. No *Jornal da Globo*, novo *press-release* dos setores à direita que governam o país ou influem em seus rumos, já que esse noticiário se especializou em dar voz a velhos arenistas para que "expliquem" ao público os projetos em debate no Senado ou as divergências políticas do momento.

Lauro César Muniz, autor da novela das 20 horas, afirma que seu texto não tem sofrido cortes da Polícia Federal, mas costuma ser muito censurado dentro da própria emissora; ele não pode, por exemplo, usar na novela a palavra "multinacional" para designar a nova indústria de laticínios que se implanta na cidade fictícia de Pilar para concorrer com a pequena São Lucas, de propriedade da família de Fernando Lucas (Tarcísio Meira). As restrições impostas pelo comando da Globo aos temas e à linguagem dos seriados atuais quase foram motivo do pedido de demissão do ex-responsável pelo núcleo das séries e atual diretor de criação para o horário, Daniel Filho.

O censor interno da Globo, José Leite Ottati, que foi chefe da Censura no Rio de Janeiro durante 25 anos, desde 1968 é funcionário regular da emissora, encarregado da "revisão de textos", a fim de advertir a direção da empresa a respeito de prováveis deslizes na programação e assim evitar "consequências mais graves".

Ao que parece, o sr. Roberto Marinho anda bem mais atento às recomendações de seu "revisor de textos" do que há alguns anos, quando a Globo chegou a ter alguns entreveros mais sérios com a Censura. É como se, no momento em que o sistema se redefine – ainda que dentro de uma razoável margem de segurança para os detentores do poder –, uma grande empresa capitalista como a Globo, que é ao mesmo tempo fabricante de ideologia, revele com mais clareza sua posição no jogo das forças que nos governam. No atual momento, se a burguesia já não está tão coesa como quatro ou cinco anos atrás e por isso mesmo já não se sente tão forte, o proprietário da Globo arregaça as mangas e assume seu papel de principal guardião do sistema. Se ocorre uma greve, a emissora não deixa de divulgá-la (e os argumentos de Rabaça e Mauro Salles mostram boas razões políticas para que a emissora não se omita sobre acontecimentos quentes do momento), mas procura encaixá-la no noticiário das sete (local), de menor audiência, com tratamento mais leve e menor peso político. E, se por algum motivo o empresário Roberto Marinho se sente mais ameaçado pela conjuntura, não tem nenhum pudor em utilizar o *Jornal Nacional* para recomendar ao público, em tom editorial, que leia no jornal *O Globo* o artigo intitulado "As flores de Moscou", sobre a presença de Gregório Bezerra na missa celebrada por Dom Paulo Evaristo Arns, em São Paulo – dois perigosos comedores de criancinhas contra cujas artimanhas a Globo estará sempre atenta, no dever de alertar seus 30 milhões de espectadores.

Televisão, três décadas depois: Lula e os riscos da fantasia popular[12]

O líder e a palavra
Na noite de 27 de outubro, recém-eleito presidente do Brasil com a maior votação da nossa história, Luiz Inácio Lula da Silva falou à multidão reunida na avenida Paulista, ponto da cidade de São Paulo que se tornou tradicional nas comemorações de vitórias petistas desde a eleição da prefeita Luiza Erundina, em 1988. O discurso emocionado de agradecimento aos eleitores revelou, como todas as outras falas de Lula, o traço mais característico da personalidade carismática desse impressionante e improvável líder brasileiro. Desde os tempos das assembleias operárias no estádio de Vila Euclides, em São Bernardo, Lula sempre

---
[12] Texto escrito em 2002 e publicado originalmente na revista *Teoria e Debate*, n. 53, mar.-abr.--maio 2003.

foi capaz de fazer pronunciamentos empolgantes, em nome próprio, sem recorrer aos lugares-comuns da retórica política, mas também sem falar apenas em primeira pessoa. É isso o que diferencia seu carisma pessoal dos vícios do personalismo, tão frequente entre os líderes políticos mais populares da história brasileira. Nas falas de Lula, o "eu" autoral é um "nós".

Antes de prometer qualquer coisa à multidão em festa, antes de se oferecer aos aplausos e às saudações (era o dia de seu aniversário, o que lhe valeu um "Parabéns a você" cantado por milhares de vozes), Lula desfiou uma longa lista de nomes de companheiros de percurso, vivos e mortos. Lembrou e agradeceu a todos: desde seus primeiros camaradas dos tempos da luta sindical, passando por velhos fundadores do PT já falecidos, sem esquecer a menção ao companheiro Celso Daniel, assassinado em janeiro de 2002. Finalizou com a enumeração dos companheiros vivos. Citou os colaboradores da campanha vitoriosa e, para encerrar, nomeou os principais setores sociais que o elegeram: trabalhadores da cidade e do campo, membros da Igreja, professores, sindicalistas, estudantes. No lugar de "eu fiz, eu venci, eu cheguei lá", Lula consagrou um "nós vencemos" a que o povo brasileiro não está acostumado. Em vez de se apresentar como um indivíduo privilegiado e iluminado, objeto de adoração e inveja das massas em função de sua excepcional trajetória de ascensão social, Lula fez de sua vitória a consagração do "povo unido" que há várias décadas não acreditava que jamais seria vencido.

O discurso da Paulista poderia ter sido o começo da (re)educação político-sentimental da sociedade brasileira. Nossa tradição política é a do autoritarismo, em suas várias versões. Tivemos a versão *hardcore* dos militares, que dominaram pela intimidação e pela repressão – o "prendo e arrebento", de famigerada memória. Tivemos também as várias versões *soft* do paternalismo e do populismo nas quais o político popular sustenta sua autoridade e autoriza seu arbítrio ao se apresentar como uma espécie de pai severo e bondoso, protetor *pessoal* dos oprimidos, objeto de amor e submissão filiais das massas. O paternalismo infantiliza a sociedade e desmobiliza a participação popular. Faz da relação da massa com seu líder uma relação de gozo, uma "servidão voluntária", na expressão de Étienne de La Boétie. É a forma mais eficiente de dominação, porque conta com a alegre adesão das massas: uma sociedade habituada ao paternalismo *pede* paternalismo, ama o paternalismo. Se os oito anos de governo de Fernando Henrique Cardoso representaram algum avanço para a sociedade brasileira, este se deu em consequência do traço mais antipático do ex-presidente: seu autoritarismo moderno e globalizado. Fernando Henrique, decididamente, não foi paternalista. Muito menos populista. Seu discurso não mascarava os compromissos de classe de seu governo. Não foi difícil compreender que o governo FHC respondia a compromissos financeiros internacionais e considerava atrasadas as propostas das oposições no Brasil. Nesse sentido, fez um grande favor à sociedade. Talvez a vitória de Lula deva muito mais a esse aspecto moderno do estilo de FHC do que se imagina.

Na via da relação das massas com os governantes, estamos completamente embebidos de cordialidade. Que um governante seja simpático e tenha "boa aparência", que se ofereça à projeção de figuras familiares, que chore em público, que peça "mais uma chance" a seu eleitorado quando pego em flagrante de corrupção, tudo isso parece ser condição "natural" da vida política aos olhos de grande parte dos brasileiros. Como se a política pudesse ser incluída entre os eventos naturais. Ao mesmo tempo, a prática da demagogia corrompe a sociedade inteira; corrompe e desnorteia. A demagogia substitui a esperança depositada na relação entre a palavra e a verdade, pela receptividade cínica de quem aprende a desesperar, já que a palavra empenhada não tem nenhum valor. "Todo governante eleito pode prometer e não cumprir", disse Lula à multidão. "Eu não tenho esse direito." De fato, a ascensão do líder sindical à Presidência da República, depois de três derrotas sucessivas, representa o coroamento de um projeto de toda a esquerda brasileira. Um projeto de longo curso, gestado e desenvolvido há mais de vinte anos entre os mais diversos setores da sociedade organizada: no sindicalismo, nas comunidades de base, em grupos feministas, no movimento negro, nos melhores momentos do movimento estudantil, em organizações de direitos humanos, na luta ecológica, nos movimentos de luta pela terra. Lula sabe que deve muito a todos eles. Mais do que gratidão e reconhecimento, trata-se aqui de um compromisso bem anterior aos compromissos de campanha. O compromisso de quem sabe que sua própria liderança é fruto de um projeto construído a muitas mãos, de um processo longo e coletivo.

Ao final de seu discurso, o presidente eleito se debruçou no palanque, como se quisesse olhar nos olhos de cada um dos que o saudavam de baixo. "Eu vou prestar contas de meus acertos e erros a vocês. Quando eu errar, virei me desculpar com vocês." Não eram as palavras vazias da demagogia – eram palavras de um compromisso antigo, cuja credibilidade é legitimada por toda a trajetória pública do sujeito dessa enunciação. Quanto ao endereçamento desse discurso, é importante observar a diferença entre o "vocês" da fala de Lula e o "povo brasileiro", conjunto genérico e vazio que sempre abriu os discursos oficiais dos governantes anteriores. Pois Lula tinha acabado de reconhecer e de qualificar o coletivo que compõe este "vocês". Embora se apresente – e não poderia fazer de outra forma – como presidente de todos os brasileiros, o "povo" a quem endereça seu discurso tem um perfil diversificado, porém definido. Cobre um campo de identificações construído pela sociedade civil. O "vocês" da fala de Lula é o conjunto de forças constitutivas da democracia participativa no Brasil.

Por isso mesmo, a fala desse novo presidente tem o poder de unificar simbolicamente o país. O endereçamento de Lula a seus eleitores e apoiadores foi o primeiro fator de inclusão social, antes mesmo da posse, muito antes que qualquer política de erradicação da miséria – ou seja, de inclusão material – possa se efetivar. Um discurso como esse pode ter certo efeito pacificador da violência social brasileira; não vai pacificar, evidentemente, a violência do tráfico e do crime organizado. Mas a violência gratuita, os pequenos atos de delinquência banal que são fruto da privatização da vida social, da desmoralização do espaço público, do extremo individualismo que contaminou o laço social nesses tempos neoliberais, certamente pode ser pacificada a partir da convocação política dirigida por Lula aos brasileiros para que venham participar da tarefa coletiva de reconstrução da sociedade. Uma pacificação produzida pela perspectiva de participação ativa na transformação do país, e não pela aceitação conformista do pior.

O líder e a imagem
Mas não só de carisma e compromissos sinceros se teceu a vitória de Lula. A peça mais importante de sua campanha, admitamos, foi a publicidade. Sobretudo a campanha feita para a televisão, na qual o marqueteiro Duda Mendonça trabalhou para projetar uma imagem do candidato à altura da lógica do espetáculo. Nas imagens de Duda, Lula virou ídolo *pop*, virou chique, virou figura messiânica, virou santo, virou pai. Sorriu muito e disse pouco, chorou quando convinha chorar, fez muito charme para a câmera, associou-se a outras imagens genéricas e palatáveis: flores, estrelas, criancinhas. O apogeu da domesticação da imagem de Lula foi a cena *kitsch* das dezenas de mulheres grávidas vestidas de branco descendo uma colina verde ao som do *Bolero*, de Ravel. O apelo sentimental de imagens como essa, durante a campanha, foi quase indecoroso. Deve ter feito muita gente chorar, muita gente gozar, muita gente esquecer a política. Às vezes, parece que o que o brasileiro mais deseja é isto: esquecer a política.

Não dava para ganhar as eleições sem fazer o jogo da publicidade – que no Brasil semianalfabeto e domesticado pela televisão passa necessariamente pela linguagem comercial desenvolvida para e pelo veículo. É verdade que alguma coisa foi dita sobre o programa de governo do PT e a trajetória política do candidato, mas grande parte da campanha que conduziu Lula à vitória se apoiou em imagens vazias, capazes de mobilizar muito mais os afetos do que a inteligência crítica, muito mais as fantasias do que o pensamento. Nesse sentido, como a linguagem é a mesma e a lógica televisiva é implacável, houve pouca ou nenhuma diferença de qualidade política entre as campanhas dos quatro candidatos principais. As eventuais diferenças diziam mais respeito às estratégias escolhidas pelos publicitários do que à oposição entre propostas políticas dos candidatos.

Quanto à cobertura dos telejornais – que afinal se revelou impecável – temia-se que a Globo repetisse, diante de uma provável vitória de Lula, o mesmo comportamento antiético que decidiu a eleição de 1989 a favor de Fernando Collor de Melo. Se Lula não se cuidar, pensávamos, a Globo acaba com ele. Não foi o que aconteceu. A televisão – sobretudo a Rede Globo – tratou o favorito nas pesquisas com o mesmo respeito e seriedade que ofereceu a todos os outros candidatos. Depois vieram as celebrações.

E de repente, na primeira semana da transição para o novo poder, foi como se Luiz Inácio Lula da Silva tivesse sido contratado pela Globo. Sua vida foi tema do *Fantástico* levado ao ar no mesmo domingo de outubro em que ele celebrara a vitória na Paulista. No dia seguinte, segunda-feira, foi convidado de honra do *Jornal Nacional*, permanecendo no estúdio – e no ar – durante mais de uma hora, enquanto William Bonner e Fátima Bernardes apresentavam imagens de sua trajetória política e familiar, entremeadas de algumas perguntas dirigidas a ele, ao vivo. Na sexta-feira foi a vez de o *Globo Repórter* editar imagens do passado, depoimentos de pessoas próximas a Lula e uma entrevista ao vivo com o presidente, com direito – mais uma vez – a lágrimas e risos, algumas informações relevantes e muito charme. Vitorioso, feliz, Lula não estava só mais carismático. Estava muito, muito mais sedutor.

Era natural – mais uma vez essa palavra, antítese da política – que a emissora que fez a melhor cobertura jornalística do processo eleitoral tivesse o direito de explorar (opa!) a popularidade do presidente eleito em benefício próprio. Era "natural" (deixo as aspas por prudência) que Lula aceitasse a superexposição televisiva que, no período de transição entre dois governos, poderia servir para consolidar ainda mais essa mesma popularidade. Só que a maior rede de televisão do Brasil, que há quase quarenta anos vem construindo e consolidando uma linguagem, um estilo, um modo de penetração no imaginário popular, baseado justamente na comunicação pela via da *imagem*, à qual são subordinados a palavra e o pensamento, rapidamente enquadrou o presidente Lula nos termos da lógica do espetáculo. O efeito dessa estratégia é carregado de ambiguidade. Se por um lado torna o líder de esquerda mais aceitável para uma parcela amedrontada do eleitorado conservador, por outro pode transformá-lo em um personagem inofensivo. Se consolida o aspecto imaginário de sua popularidade, pode contribuir para enfraquecer seu perfil político e a força de sua palavra – a mesma palavra que, no discurso da avenida Paulista, revelava sua potência mobilizadora, seu caráter diferenciado em relação à tradição dos discursos da elite, sua capacidade de produzir um enquadre simbólico para as forças sociais desorganizadas e desperdiçadas deste país.

A superexposição televisiva, a ênfase sentimental sobre os fatos da vida privada de Lula – a infância pobre, a recordação emocionada da mãe falecida – em detrimento de sua história pública, a transformação do personagem político em personagem de melodrama, tudo isso pode funcionar – independentemente da intenção da direção da emissora – para neutralizar a força da liderança de Lula. A privatização da história de vida do presidente eleito pode fazer dele um fenômeno exótico – o operário que "chegou lá", compatível com a lógica competitiva da cultura do individualismo –, na mesma medida em que o populariza como objeto de gozo e consumo para as massas. Apagam-se, nessa operação, as diferenças entre a trajetória de Lula e a de outros vencedores *self-made*, como Silvio Santos.

O gozo, como sabemos, é o que torna dispensáveis o pensamento e essa chatice necessária à vida política que se chama consciência crítica. Diante de um objeto de gozo, tudo o mais – a reflexão, o trabalho, a capacidade de adiar gratificações, os compromissos e as responsabilidades – se torna supérfluo. Diante de um objeto de gozo, só queremos gozar mais. Que a televisão tente fazer de Luiz Inácio Lula da Silva um objeto de consumo e de sua imagem um meio de gozo para as massas transformadas em telespectadores é meio caminho andado para o enfraquecimento da diferença *radical* que seu estilo de liderança representa em relação à tradição política das elites brasileiras. Cordialidade, sentimentalidade, projeções de representações familiares, mobilização de fantasias – se essa versão do presidente predominar sobre o poder de sua palavra, estará abortado o longo e difícil processo de educação político-sentimental da sociedade, inaugurado brilhantemente pelo discurso da noite de 27 de outubro. A televisão brasileira parece ter entendido, neste ano de 2002, sua responsabilidade na construção permanente da democracia. Mas entendeu também, há muito mais tempo, seu compromisso com a elite e com a manutenção de um certo "jeitinho brasileiro" de dominação, que, afinal de contas, vem dando certo desde a colonização.

O corpo do presidente
A posse do presidente Lula em Brasília, no dia 1º de janeiro de 2003, foi um dos fenômenos de massa mais impressionantes que a sociedade brasileira já viu e promoveu. Embora não tão numerosa quanto nas manifestações pelas eleições diretas em 1984 ou pelo *impeachment* de Collor em 1992, a multidão que esperou a passagem do carro do presidente eleito em Brasília manifestava uma alegria e um entusiasmo contagiantes até para quem só pôde acompanhar a festa pela televisão. Os jornais e a tevê rapidamente transformaram em jargão o "estilo Lula" de se relacionar com as multidões. Não vamos nos iludir: a mídia está confeccionando o personalismo do novo presidente, queira ele ou não. Algumas das maiores qualidades da personalidade de Lula podem oferecer elementos preciosos para a construção de um perfil personalista. O presidente, cuja trajetória política foi toda erigida em meio a grandes manifestações de massa – assembleias operárias no ABC, grandes comícios do partido dentro ou fora das campanhas eleitorais –, está muito acostumado àquilo que o general Figueiredo chamava, com asco, de "cheiro de povo". Lula tem frequentemente desprezado a barreira dos seguranças; deixa-se agarrar, abraçar e acarinhar alegremente pelos eleitores mais ousados. Parece acreditar que a popularidade mantém seu corpo fechado contra eventuais tentativas de agressão.

Na posse, quando Lula desfilou em carro aberto no meio da multidão, temia-se mais pela segurança da massa do que pela do presidente. O maior perigo era que um susto, uma briga, um corre-corre, deflagrassem uma verdadeira calamidade na praça dos Três Poderes. Mas nada aconteceu. Talvez, como nos comícios do PT, ou como nos melhores momentos do Carnaval de rua, o clima não fosse de histeria, mas de simples alegria. A alegria apazigua os corações – a histeria coletiva os inflama.

No primeiro mês de governo, o presidente inaugurou a nova equipe levando um grupo de ministros a uma excursão inédita pela miséria brasileira. Naquela primeira viagem ao Brasil da fome, Lula levou o governo, na forma das *pessoas físicas* do presidente e de seus ministros, para dentro do Brasil profundo: o Brasil dos flagelos climáticos e políticos, do desamparo, da carência crônica e da desesperança. Ao se deslocar pessoalmente até lá, Lula fez com que todos os jornais e redes de televisão exibissem, em cadeia nacional, esses pedaços esquecidos do país que ele agora governa, e que não serão mais apagados do mapa. A presença física do presidente em regiões miseráveis do Nordeste é uma continuação da invenção genial das Caravanas da Cidadania, nas quais Lula, desde 1993, vem viajando pelo interior mais pobre do Brasil acompanhado de lideranças e militantes petistas e de fora do partido para conhecer de perto os problemas sociais do país e estudar soluções para eles.

Lula deve saber que corre o risco de que seu carisma, capturado pela televisão, se transforme em espetáculo despolitizado para consumo das massas. Mas não foi isso o que ele fez ao "visitar a fome" brasileira. Mais do que sua imagem, o presidente levou sua presença, sua voz ao vivo, seu corpo suado e cansado, aos cenários feios, sujos e estragados que não rendem espetáculo nenhum. Alguns ministros pareciam terrivelmente constrangidos ao ser fotografados no meio dos brasileiros carentes e desdentados. Lula não: estava em casa. Estava se comprometendo *pessoalmente* com os brasileiros que o elegeram. De corpo presente, estava redesenhando o mapa do Brasil de modo a incluir nele os milhões de excluídos da sociedade. Foi além da inclusão simbólica que promoveu nos discursos da vitória e da posse. A presença física do presidente, nesse caso, teve o sentido de antecipar o que deve vir a ser a presença do poder público, que há décadas vinha se omitindo escandalosamente de suas verdadeiras responsabilidades.

A equipe do novo governo andou por palafitas e vielas estreitas, entrou em barracos escuros e apertados, espremeu-se no meio da multidão no Recife, no Piauí e no Vale do Jequitinhonha. Vista pela televisão, a cena do povo que avançava dentro das águas para alcançar a barca que levava o presidente parecia uma imagem bíblica. O Jequitinhonha parecia o Ganges, o rio sagrado em cujas águas os indianos vão se purificar. O que teria representado Lula no imaginário popular naquele dia? Seria um santo milagreiro descido dos céus do poder para acabar de uma vez com a fome do Nordeste? Um Padre Cícero ressuscitado? O povo *sabe* que Lula é "um deles". Sabe que foi flagelado, que foi retirante, que passou fome como tantos brasileiros. A própria televisão contribuiu para divulgar essa informação. Pela primeira vez o Brasil tem um presidente que não só nasceu entre o povo mais pobre como também – o que é mais importante – construiu sua carreira política representando as classes populares. O povo ama Lula justamente por isso.

Mas temo que as pessoas que adoram Lula esperem de seu carisma o mesmo paternalismo de sempre, esperem os gestos populistas e as palavras demagógicas a que estão habituadas, só que com resultados concretos imediatos. Como se fosse possível ser demagogo e populista e, ao mesmo tempo, falar a verdade e cumprir com a palavra. O que fazer diante dessa tremenda ambiguidade da expectativa popular? A tarefa de estender a presença do poder público entre os muitos setores que os governos anteriores abandonaram tem um preço político. Exige um estabelecimento claro de prioridades. Exige enfrentamentos políticos pesados. Outros setores sociais terão de perder privilégios.

Lula parece saber que, no início de seu governo, as "forças adormecidas" do povo brasileiro a que se referiu o professor Antonio Cândido[13] estão despertando, polarizadas pela sua vitória – e é uma bênção que a primeira expressão coletiva dessa força popular que ficou tanto tempo debilitada, engavetada e muda, seja a alegria. O presidente provavelmente calcula a magnitude das esperanças que sua eleição traz à tona, emergindo com a força dos desejos recalcados. Mas deve saber que o clima de otimismo não pode se alimentar só da presença física do presidente e de suas palavras (sinceras) de carinho. Deve conhecer os riscos políticos e sociais que a frustração da esperança implicaria.

Além da alegria popular, o novo presidente conta com uma força ainda maior: conta com o *amor* do povo. Nisso reside a maior força legitimadora de seu governo, e também a maior armadilha para o exercício *político* de sua liderança. O amor tem um forte componente fantasioso. Do ser amado espera-se muito mais do que qualquer mortal comum é capaz de dar; espera-se compreensão, proteção contra o desamparo, espera-se a satisfação das necessidades, espera-se prazer. Por isso mesmo o amor é feito para decepcionar. Para permanecer amado, um governante teria de fazer muito mais do que um bom governo: teria de construir em torno de sua pessoa uma espécie de *marca de fantasia* capaz de satisfazer as demandas amorosas de seus eleitores. Teria de ser demagogo. Teria de substituir a política pelo espetáculo do poder.

O amor também se alimenta das identificações. O amor é narcisista: ama, antes de tudo, o próprio espelho. Se o povo ama Lula porque é "um de nós", vai se decepcionar quando, no exercício do poder, o presidente for obrigado a se diferenciar da massa que ele governa. Lula é, sim, o nordestino sofrido, de origem humilde, que conhece a pobreza e o trabalho duro. Mas é também tudo o que ele construiu na vida pública depois daqueles anos difíceis. Hoje, é um homem da elite, ainda que não se identifique com ela e não governe (esperamos!) para manter seus privilégios. É uma figura de projeção internacional, embora nem fale inglês. É um representante do povo, mas governa também para os grandes detentores do capital financeiro nacional e internacional. É simpático ao MST, mas também governa para os latifundiários. Tem que costurar os interesses dos

---

[13] Em encontro de Lula com um grande grupo de artistas e intelectuais reunidos no Rio de Janeiro, em agosto de 2002.

trabalhadores, do empresariado nacional e dessa entidade fantasmagórica chamada "mercado". As primeiras medidas de sua equipe econômica, tremendamente impopulares, demonstram que, no papel de presidente, Luiz Inácio Lula da Silva bem depressa deixou de ser "um de nós". Talvez por isso, no mês de fevereiro, Lula tenha se retirado um pouco da mídia. Os ministros falaram e apareceram mais do que o presidente.

Parece que o presidente Lula tem pela frente a difícil tarefa de mudar suas palavras, ajustando-as à nova realidade, sem perder de vista os compromissos que assumiu com o povo durante a campanha e nos discursos da vitória e da posse. Não vai dar para continuar sendo adorado por "todos os brasileiros". Não vai dar nem para ser tão adorado quanto nos primeiros dias – o que, afinal, pode representar um avanço na tal educação político-sentimental que ele tem o dever de implementar em sua relação com a sociedade. Um líder político não tem de ser amado: tem de ser respeitado. Não tem de realizar fantasias do eleitorado: tem, necessariamente, de frustrá-las para pôr em prática a dimensão propriamente política de sua ação.

É verdade que o carisma de Lula faz parte de seu capital político. Sua personalidade espontânea e afetuosa, seu senso de humor, seu jogo de cintura, sua fantástica capacidade de improvisação e de comunicação não deveriam ser inibidos diante da complexidade das negociações políticas que o novo presidente terá de fazer. O que ele disse na Alemanha – que um governante deve pensar antes de falar e, algumas vezes, silenciar o que pensa – é sábio; mas não pode prevalecer sobre o poder da palavra forte, plena, não demagógica, que sempre caracterizou sua liderança.

Só que as palavras de Lula não precisam, nem podem, agradar a todos. A "marca de fantasia" que a televisão e a imprensa construíram em torno de sua imagem simpática tem de ser desconstruída para que sua ação política se torne transparente para a sociedade. Quando Lula prometeu, na avenida Paulista, no dia 27 de outubro passado, "Eu vou prestar contas a vocês", não estava prometendo agradar a todos o tempo todo: estava prometendo governar com transparência. Quando convocou todos os setores sociais que lutaram por sua vitória para governar com ele, não estava usando a sociedade como massa de manobra: queremos acreditar que estava pretendendo criar canais de comunicação com as forças sociais, que possibilitassem ao povo acompanhar e compreender as decisões do governo. Só assim é possível que os brasileiros colaborem ativamente com o governo do PT.

Nossa reeducação sentimental mal começou e já vai exigir que as expectativas infantis da sociedade em relação ao líder amoroso e paternal sejam frustradas. Lula não tem perfil de pai; quando muito, seria um irmão mais velho que tenta promover a unidade da *fratria*, com a participação horizontal de todos, na tarefa de construção de um espaço coletivo mais digno. Um governante irmão é muito mais progressista, muito mais democrático e moderno, do que um pai. Só a *fratria* – nos moldes da amizade "contra o Um" do já citado *Discurso da servidão voluntária* de Étienne de La Boétie – pode enfrentar o tirano. Seja ele o mercado, seja o capital internacional, seja o coronelismo local, seja o crime organizado, seja a corrupção. Só a *fratria*, liderada por um irmão cuja palavra não serve para encobrir o poder, e sim para desnudá-lo, colocando seus mecanismos ao alcance de todos, é capaz de emancipar os brasileiros do desejo de servidão, tão arraigado depois de séculos de dominação autoritária e paternalista.

4.
A psicanálise como dispositivo antibovarista. O caso de Manoel, ou "Porque sou um homem"
(relato de uma análise conduzida na Escola Nacional Florestan Fernandes)

Introdução

"O que a psicanálise pode fazer pela militância?" A pergunta me foi feita duas vezes pela mesma dirigente da Escola Nacional Florestan Fernandes (ENFF), sempre ao final das aulas que ministrei ali, no ano de 2006. A escola, localizada na área rural de Guararema, no estado de São Paulo, foi construída em um terreno comprado com colaborações vindas de dentro e de fora do Brasil – sobretudo com a venda das fotografias que Sebastião Salgado tirou em acampamentos do MST em várias regiões do país e pôs à disposição do movimento para angariar fundos. Seus alojamentos, restaurante e salas de aula foram construídos com tijolos de barro prensado com cimento, que não utilizam fornos a lenha e foram fabricados ali mesmo, no terreno da escola. O trabalho coletivo em que se revezaram filiados ao movimento de todas as regiões do país também foi empregado na construção de todas as edificações.

Conheci a ENFF logo depois da sua inauguração, em janeiro de 2005, quando seus dirigentes convidaram simpatizantes do país inteiro para uma conversa sobre quem poderia contribuir para a formação dos jovens que viriam de todas as regiões do Brasil para estudar ali. Naquela primeira reunião, eu e minha colega de consultório Yanina Stasevskas oferecemos algumas horas semanais para atender pessoas que se interessassem em fazer psicanálise. Naquele dia ninguém reagiu à nossa oferta.

Em 2006, o professor Paulo Arantes organizou um curso a respeito da realidade brasileira, dividido em temas que foram abordados por pesquisadores de diversas áreas. Os alunos eram militantes do MST escolhidos entre as lideranças intermediárias de várias regiões para passar três meses na escola a fim de aperfeiçoar sua compreensão dos problemas do país. De segunda a sábado, de manhã e à tarde, dezenas de jovens e adultos filhos de lavradores expulsos há décadas de suas terras, muitos dos quais ex-boias-frias que aderiram ao movimento pela reconquista de um pedaço de terra, assim como filhos de militantes da primeira geração já assentados, ouviram palestras ministradas por Francisco de Oliveira, Ismail Xavier, Paulo Arantes, Emília Viotti, Roberto Schwarz, entre outros. Como os temas eram muito complexos, Arantes mobilizou um grupo de seus antigos alunos da USP para acompanhar os estudantes e ajudar nas leituras indicadas por cada professor antes do curso. A dedicação de militantes e monitores produziu resultados além do esperado. Cada palestrante indicava alguns textos fundamentais na sua área, que os estudantes liam antes das aulas, com o auxílio dos monitores.

Os temas que me couberam desenvolver foram estes: a influência da televisão na sociedade brasileira[1], em março de 2006, e o fetichismo[2], no mês seguinte. As duas palestras sobre televisão basearam-se em uma pesquisa que efetuei junto à Funarte entre 1979 e 1984, sobre o papel que a Globo – primeira emissora de televisão a ocupar a rede Embratel e a transmitir o um telejornal ao vivo por todo o território – exerceu durante a ditadura militar, com ênfase na década de 1970. O nível das perguntas e o envolvimento dos alunos nas discussões me impressionaram.

No fim da primeira aula, depois do debate, a questão sobre psicanálise e militância me desconcertou. Respondi o óbvio, que a psicanálise é uma teoria voltada para uma prática clínica e dificilmente poderia contribuir para um movimento

---

[1] Esse foi o tema de uma pesquisa de mestrado que não cheguei a defender na USP, mas cujos resultados foram publicados em dois livros: *Anos 70: televisão*, parte de uma série de cinco livros de pesquisas financiados pela Funarte, sob coordenação de Adauto Novaes e editados pela editora Europa em 1979 (o volume sobre televisão continua, além de meu ensaio sobre a Rede Globo – "Um só povo, uma só cabeça, uma só nação", incluído neste volume às páginas 99-121 –, pesquisas de Santuza Naves Ribeiro, Elisabeth Carvalho e Isaura Botelho); e *Um país no ar: história da TV brasileira em três canais* (São Paulo, Brasiliense, 1986), em coautoria com textos de Inimá Simões e Alcir Henrique da Costa.

[2] O *fetichismo* é um dos conceitos comuns à psicanálise freudiana e ao materialismo histórico. O outro, com sentidos diversos, porém complementares entre as duas teorias, é *alienação*. Desenvolvi esse tema no capítulo "Fetichismo", publicado em *Videologias: ensaios sobre televisão*, que escrevi em parceria com Eugênio Bucci (São Paulo, Boitempo, 2004).

social. Disse também que os psicanalistas, a começar por Freud, tinham boas razões para criticar o que acontece com a subjetividade dos que aderem a movimentos de massa.

Mais tarde compreendi que o MST não é exatamente um movimento de massa. Pelo menos não no sentido clássico atribuído por Gustave Le Bon, em seu *Psicologia das multidões*, no século XIX (1895), e rediscutido por Freud em 1921. Consegui entender algumas distinções entre a forma de organização do MST e a clássica "paixão da instrumentalidade" que acomete os indivíduos reunidos na massa, em 2008, quando um grupo de formadores de lideranças me convidou para debater o ensaio freudiano "Psicologia de massas e análise do *eu*". Os participantes do grupo demonstraram enorme interesse e respeito por Freud, mas discutiram o texto sem demonstrar inibição diante do saber constituído do criador da psicanálise. "Psicologia de massas..." foi debatido com grande disposição crítica, tanto em relação às propostas freudianas sobre a alienação da massa quanto em relação à prática de seus membros na organização da luta pela terra. Ao final, os debatedores mais ativos concluíram que o MST não trata e nunca deveria tratar os membros de sua base como massa, uma vez que os laços de sociabilidade entre os militantes visavam, ao mesmo tempo, recuperar as relações comunitárias que se perderam com a mecanização (e, aí sim, massificação) do trabalho no campo[3] e contribuir para formar sujeitos emancipados e autônomos em sua ação política.

Embora o grupo que discutiu Freud comigo se denominasse, em sua tarefa de formação de militantes, uma "frente de massas", a dissolução do sujeito na massa não é o que caracteriza a organização dos participantes do MST. A organização do movimento, que exige grande mobilidade e rotatividade entre as lideranças regionais, é bem mais complexa do que a clássica formação de massas típica dos grandes movimentos sociais do século XX. Esta se caracteriza – como bem analisou Freud – pela anulação do julgamento moral dos indivíduos que têm como única referência a identificação à palavra e à imagem de um líder centralizador. Ao ocupar o lugar do Ideal para a multidão que ele pretende representar, o líder de massas tem o poder de anular a função do juízo ético dos participantes, que, dispensados da crítica do *supereu*, se entregam à possibilidade de gozar do *sentimento oceânico* do pertencimento à massa. Essa é a razão pela qual, para Freud,

---

[3] Emprego o termo "relações comunitárias" no sentido proposto por Walter Benjamin em seu célebre ensaio "O narrador: considerações sobre a obra de Nikolai Leskov" (1936), *Magia e técnica, arte e política: ensaios sobre literatura e história da cultura* (trad. Sergio Paulo Rouanet, 3. ed., São Paulo, Brasiliense, 1987, Obras Escolhidas, v. 1), p. 197-221.

os membros de uma formação de massas se sentem dispensados do próprio juízo moral ao se entregarem a atos sugeridos ou determinados pelo líder. O que vale para atividades inocentes como um cortejo de Carnaval também pode valer para autorizar linchamentos e vandalismos inimagináveis, praticados "em nome do Bem" determinado pelo Mestre carismático.

No caso do MST, seus quase 2 milhões de militantes, espalhados por todas as regiões do Brasil, são formados desde o momento em que se dispõem a acampar à beira das estradas e iniciar sua reivindicação pela reforma agrária, primeiro por jovens lideranças locais, depois – nas grandes marchas e nas ocupações de terras improdutivas – por lideranças regionais. A forma de organização do movimento seria antes comparável à figura do rizoma do que a uma clássica massa freudiana. Em cada acampamento, em cada região, as pessoas são conhecidas e reconhecidas uma a uma, por sua história, seu percurso no movimento e também, como se verá a seguir, por seus problemas. Não sei se por sorte ou por determinação política, falta também ao MST o poder de uniformização da ação dos cerca de 2 milhões de militantes por um discurso totalizador; a unidade do movimento pode ser resumida na palavra de ordem "Pela reforma agrária, com justiça social e soberania popular". Para além dessas linhas mestras, as diferenças regionais impõem estratégias e objetivos diferentes, dada a pulverização dos filiados, tanto nas áreas mais remotas do interior quanto nas periferias das grandes cidades. A própria dificuldade de comunicação imediata das lideranças regionais com os grupos isolados pelo interior do Brasil exige uma razoável autonomia nas decisões que afetam os grupos assentados e acampados. Nas palavras de um jovem líder alagoano, estudante de filosofia e de teatro, "o MST é um organismo vivo".

Não pretendo levar mais longe a descrição da tensa e permanente dinâmica entre as formações de massa (no eixo vertical) e as teias de relações comunitárias (no sentido horizontal), que caracteriza o engajamento dos filiados ao MST. Atenho-me apenas à constatação de que as formações comunitárias me parecem, no que concerne às tomadas de decisões cotidianas dos filiados ao movimento, mais pregnantes do que o pertencimento à massa. A autoridade moral e a palavra carismática de João Pedro Stédile, reconhecido como líder histórico do movimento, têm tido uma presença cada vez mais discreta nas comemorações e manifestações coletivas.

Muitos militantes nunca tiveram ocasião de estar em presença dos principais líderes nacionais. Nos acampamentos, em que grupos de famílias permanecem muitas vezes durante alguns anos, a sociabilidade se parece mais com as formações comunitárias que caracterizavam a vida rural brasileira até o período do grande êxodo rural das décadas de 1960-1970[4]. A diferença, no caso presente, é que o grupo acampado não está submetido a um patrão nem sujeito a se dispersar por conta da especulação de terra. A solidariedade entre quem vive "debaixo da lona preta" não é um valor moral abstrato; ela se impõe em função da necessidade de sobrevivência. O mesmo se reproduz nos assentamentos, embora ali, com a conquista de um pedaço de terra para cada família, nem sempre se opte pela produção coletiva, por exemplo. Mas a prática de 25 anos desde os primeiros assentamentos demonstra que os que coletivizaram a produção vêm obtendo resultados muito melhores do que aqueles cujas famílias preferiram cultivar seus lotes um a um, na tentativa de realizar a fantasia de serem pequenos proprietários rurais independentes.

Nada do que escrevi acima deve ser entendido como uma fórmula para a conquista de uma vida idílica, sem disputas, sem conflitos. As formações sociais horizontais estão sujeitas, talvez até mais que outras, aos conflitos e disputas característicos do que Freud batizou de "narcisismo das pequenas diferenças". Mas a lei, no movimento, é razoavelmente sustentada pela transmissão simbólica e pela adesão de todos. "O movimento" é muito eficiente em fazer valer a metáfora paterna. Assim, quem não quer se arriscar a ser expulso acaba por se submeter a alguns limites e a algumas regras indispensáveis para pertencer ao MST.

"Quando é que você pode começar"?

A discussão sobre a relação entre psicanálise e militância que me fora proposta na primeira aula não se estendeu para além da escuta à minha resposta protocolar – "A psicanálise não é uma teoria sobre a militância política". Mas, da segunda vez que fui falar na Escola Nacional Florestan Fernandes, a mesma companheira da direção da escola voltou a me interpelar ao final do debate. Desconfiei que talvez ela quisesse saber outra coisa e resolvi arriscar. "Bem, a psicanálise não é uma teoria sobre a militância. Mas vocês devem saber que no MST existem, como em toda a parte, muitos militantes neuróticos, outros meio malucos, que acabam atrapalhando a ação dos grupos porque misturam

---

[4] Quando a diferença entre a população urbana e a rural no Brasil se inverteu, passando de 36,1% nas cidades e 63,9% no campo para 55,9% nas cidades e 44,1% no campo.

seus problemas pessoais com os problemas políticos que o movimento tenta enfrentar. A contribuição de um psicanalista seria fazer o que ele faz com qualquer um que procure a ajuda dele, ou seja, tratar dessas pessoas." Silêncio. Teriam entendido o que eu quis dizer?

Terminou o tempo da aula. Na saída, a dirigente que fez a pergunta me esperava na porta da classe junto a outros dois administradores da escola, com a proposta pronta: "Quando é que você pode começar?". Em seguida, acrescentaram que já havia um candidato à minha contribuição clínica: "Estamos preocupados com um companheiro nosso que estava muito mal, foi internado numa clínica para tratar do alcoolismo e voltou ontem para cá".

Foi assim que comecei, em maio de 2006, a atender os militantes que me eram indicados através da secretaria da ENFF.

A comunicação boca a boca, apelidada pelos moradores da escola de "rádio peão", fazia chegar à secretaria ou à direção da escola o nome de quem revelava estar sofrendo um pouco além da cota de sofrimento a que todos estavam habituados. A cada quinze dias, sempre aos sábados, eu chegava de manhã à escola e recebia a lista dos pacientes que pediram atendimento mais a chave da sala reservada para mim (outra sala ficava à disposição de minha colega Maria Noemi de Araújo, que também se dispusera ao trabalho).

A sala de atendimento, na maior parte das vezes, era um quarto desocupado ou gentilmente cedido por algum habitante compreensivo. As roupas eram dobradas, as mochilas encostadas num canto e, como nos postos de saúde que estavam habituados a frequentar, os responsáveis pelo quarto dispunham no centro do cômodo uma mesinha quadrada, com uma cadeira de cada lado. O dispositivo, como tudo o que abrange a prática da psicanálise, não poderia ser mais despretensioso. O que é indispensável ao *setting* psicanalítico? Um espaço reservado, assentos razoáveis para duas pessoas, iluminação, ventilação. Um divã seria ideal. Como eu atendia no espaço de um dormitório, alguns pacientes, depois de algum tempo de atendimento frente a frente, dispuseram uma das camas na função de divã, colocando minha cadeira atrás da cabeceira. Mas nem todos utilizavam o divã improvisado.

Um pano florido sobre a mesa, além de um copo e uma jarra de água fresca, indicavam a singela deferência em relação ao trabalho da "doutora". Mas ninguém me chamava de doutora. Alguns diziam "companheira", outros me chamavam pelo nome. Apenas um de meus pacientes, o primeiro de todos a vir me ver, o único militante do MST com que tive contato que nunca aprendera a ler e a escrever (uma exigência rigorosa do movimento para transpor "a cerca da ignorância"), manteve ao longo dos dois anos em que raramente faltou às sessões o tratamento de "doutora". Um dia soube por colegas dele que, na minha ausência, se referia a mim como "minha doutorinha".

Como morava na Escola e não participava de nenhuma tarefa de organização nem de direção, dessas que obrigam a pessoa a cancelar sessões de análise em cima da hora para discutir temas polêmicos com o coletivo, Manoel, ao contrário de quase todos os outros, nunca faltou às sessões. Por isso, também, percebi ao final do primeiro ano que tinha anotado quase todas as sessões dele, hábito que não tenho em meu consultório de São Paulo. Mas a periodicidade espaçada das sessões na ENFF me fez sentir a necessidade de anotações, nos primeiros meses, até que a transferência me permitisse sentir, nas idas quinzenais a Guararema, a mesma continuidade, o mesmo ritmo, que se percebe em poucos encontros do analista com cada cliente, quando o trabalho clínico permite uma periodicidade menos espaçada. Quando a análise de Manoel terminou, percebi também que seu estilo de *bem dizer*, herdado da melhor tradição oral do interior do Nordeste e conservado por certo em função da sua falta de contato com a transmissão escrita, me levava a escrever para não perder nem tanto o conteúdo (que nunca me esqueço), mas a *forma* de suas elucubrações. Manoel foi um para quem a conquista do bem dizer não decorreu do percurso analítico: já veio com ele. Se alguma coisa foi tocada, nisso que já era dele, foi talvez a possibilidade de ele mesmo levar a sério aquilo que dizia tão despretensiosamente, alheio aos efeitos que sua fala poderia produzir no interlocutor.

A análise de Manoel durou dois anos. Não começou como "análise de Manoel", e sim como "tratamento do problema do Caroço" – esse era, e ainda é, seu apelido na ENFF e na família, vindo da adolescência. Só eu o chamava e ainda o chamo de Manoel, o que foi muitas vezes razão de mal-entendidos entre seus colegas: "Manoel está aí hoje?" "Quem?" "Manoel" "Quem é esse?" "O Caroço" "Ah, o Caroço, claro, está sim"...

O que se segue são reflexões a partir das anotações que fazia após as sessões, entre maio de 2006 e fevereiro de 2009. Não interpus quase nenhuma observação teórica entre as narrativas das sessões – elas seriam inúteis para o leitor não psicanalista e provavelmente dispensáveis para os psicanalistas.

2006

12 de maio

A dirigente que me fizera a pergunta sobre psicanálise e militância me avisou que o primeiro companheiro encaminhado para atendimento acabava de chegar de uma internação de três meses por alcoolismo[5], e estavam todos muito preocupados com a possibilidade de que ele voltasse a beber.

Recebi *Caroço* na semana seguinte à sua volta da internação. Um homem forte e atarracado, moreno, rosto redondo, traços infantis, idade indefinida. Não teve, a princípio, nenhuma inibição para falar. Sentou-se diante de mim e descreveu seu problema da mesma forma, suponho, como falaria se estivesse em uma consulta médica em um posto de saúde. Contou que fora alcoólatra desde os onze anos, tentara parar várias vezes, mas não conseguira. Na última recaída, já dentro da ENFF, foi perseguido por vozes incessantes. Rolava no chão, angustiado, e as vozes não se calavam.

"Até o mato falava comigo, doutora. Até os postes da cerca falavam comigo."

Descrito o problema, parou de falar. A "doutora" deveria saber o que fazer, recomendar ou prescrever para curar sua doença. Como explicar o funcionamento da psicanálise àquele lavrador de 42 anos, sem nenhuma escolaridade, que me procurou como se eu fosse a médica "do postinho", capaz de lhe indicar algum remédio ou, quem sabe, um conselho eficiente (baseado em conhecimentos superiores, adquiridos em escolas onde ele nunca pisou) que lhe impedisse de voltar a beber? Como evitar que, em vez da transferência analítica, se estabelecesse entre nós uma relação hierárquica em que eu, a doutora da cidade, deveria ensinar ao homem pobre e ignorante o caminho para curar seu vício? Como propor a ele uma via de acesso, através de sua própria palavra e não da minha, ao saber inconsciente? Até mesmo a organização do espaço – uma pessoa sentada de cada lado da mesa – sugeria uma sala de atendimento médico. Bem, havia a informalidade dos beliches naquilo que normalmente era um quarto de dormir, mas eles eram rapidamente "apagados" da percepção do *setting* (que ainda não era analítico). Não tive outro remédio senão improvisar.

---

[5] O MST dispõe de uma rede de organizações solidárias, em geral religiosas, voltadas à reabilitação de alcoólatras. O alcoolismo, como todos sabem, é um dos sintomas mais graves de sofrimento psíquico entre as classes pobres no Brasil. A solidariedade com os alcoólatras é diferente da intransigência do movimento com os usuários de drogas, pois estes estão fora da lei e podem comprometer seriamente o grupo que os acolheu.

"Olha, Manoel, eu acho que as vozes que você escutou eram seus próprios pensamentos. Você bebeu tanto que seus pensamentos se desencaixaram de sua cabeça. Por isso você escutava suas ideias vindas do mato, dos postes, dos mourões da cerca. Então, o jeito para você trazer seus pensamentos de volta é me falar sobre eles."

Disse também que os sonhos ajudavam a entender o que ele pensava sem se dar conta. Tive a impressão de que Manoel me entendeu de imediato.

Mas minha insegurança fez com que eu me adiantasse à primeira possibilidade de que ele começasse a associar. Comecei por indagá-lo a respeito de seu apelido.

"Por que *Caroço*?"

"Isso foi uma coisa antiga, do final da minha meninice. Caroço é um palavrão suprimido."

"O que é um palavrão suprimido?"

"Estava batendo prego em mourão de cerca e martelei o dedo. Comecei a xingar 'cara...' e suprimi o palavrão. Gritei *caroço!* Todo mundo achou graça e o apelido ficou."

Mais tarde entendi que o incidente não ocorrera na cidade em que morava com a família, mas em sua primeira vinda a São Paulo, no começo da adolescência. Só na vida paulista Manoel era conhecido por Caroço.

"Aqui o povo só me conhece por Caroço, tem uns que nem sabem meu nome. Até eu me esqueço que me chamo Manoel."

Eu disse que, se ele não se incomodasse, iria chamá-lo só de Manoel, para que ele não se esquecesse de quem ele é. Concordou. (Até o final de sua análise, era frequente que eu chegasse à escola perguntando pelo horário do Manoel – sempre o primeiro do dia em função das tarefas dele – e a pessoa na portaria me dissesse que não conhecia nenhum Manoel ali.)

Pedi que começasse por contar um pouco de sua história de vida.

"Xiii, doutora, minha vida é tão enrolada que eu mesmo já perdi o fio dela."

Sugeri que tentasse desembaraçar o fio.

"Se precisar, a gente emenda."

A história de Manoel é de fato enrolada, mas seguir o fio não foi tão difícil assim. Manoel nasceu e foi criado, até os onze anos, no interior do Ceará. Não chegou a conhecer sua "mãe de barriga" nem seu "primeiro pai". Quando o menino nasceu, sua mãe foi abandonada pelo companheiro e deu o bebê para ser criado por uma senhora.

"Essa foi sua mãe adotiva, então?"

"Não, essa foi minha *mãe de umbigo*, que logo virou minha avó. É que depois de três dias o meu pai, quer dizer, marido de minha primeira mãe, voltou pra ela e disse que ficaria com ela por causa do filho, que era eu. Minha mãe foi me buscar na casa da segunda mãe, mas ela não quis devolver porque eu já estava registrado. Só que, depois, ela virou minha avó. É que meu pai adotivo, que é meu pai até hoje, aconteceu que a esposa dele, Cecília, tinha perdido um bebê recém-nascido, então minha avó teve pena e me deu pra eles. Essa mãe, a Cecília, tinha perdido muitos filhos já. Só viveu a filha mais velha dela, Sebastiana, que ainda é minha irmã. Então minha segunda mãe, essa que me deu pra filha dela, virou minha avó."

A mãe natural nunca mais apareceu. Quando Manoel tinha dois anos, Cecília faleceu. O pai adotivo, José, deixou Manoel com a avó, que tinha sido sua segunda mãe, e saiu da cidade (Iguatu). Longe da família, viveu por pouco tempo com alguém que o menino não chegou a conhecer. Depois voltou e se casou com Raimunda, a quarta mãe, por quem Manoel até hoje diz ter muita estima. A partir dos três anos, foi criado por Raimunda, a quarta das mulheres que ocuparam o lugar de mãe em sua vida.

Vale observar que, apesar de ter passado de mãe em mãe, o discurso de Manoel não era de um rejeitado, mas de um menino *desejado*.

"Todo mundo queria ficar comigo. Até hoje é assim. Todos gostam de mim e me chamam pra ficar com eles."

O jeito sorridente, cativante, um pouco infantilizado, confirmou que Manoel estava bem instalado naquele lugar de "coração de todos". Essa era sua posição na vida. O alcoolismo respondia a ela. Encerrei a primeira sessão sugerindo que, já que ele estava lá para falar, quem sabe não aproveitava para tentar decidir o que ele queria, em vez de "passar de mão em mão" (de mãe em mãe), respondendo ao que os outros queriam dele.

19 de maio

Passado o desabafo sobre a crise alcoólica, na primeira sessão, junto ao resumo de sua história infantil, Manoel retomou, comigo, o jeito de bom menino que só diz o que imagina que os outros queiram ouvir. Estava tudo muito bem! Depois de falar comigo só tivera pensamentos bons. Pensamentos sobre o futuro. "Quais?", perguntei. Não disse.

"Tudo tranquilo, doutora."

Depois de algum silêncio, decidi estimulá-lo a contar seus sonhos. Expliquei outra vez que os sonhos ajudam a entender os pensamentos que se escondem da gente.

Nesse momento a análise começou.

"Tive um sonho que eu me lembro, sim. Sonhei que estava perdido, procurando uma firma onde eu ia começar a trabalhar. No sonho, estava muito aflito. Daí, encontrei uma mulher que teve medo de mim. Aí, depois, perdeu o medo. Me mostrou que a firma onde eu ia era bem do lado da casa dela."

Logo imaginei – e sugeri, toda contente – que a mulher que mostrava o caminho era a própria analista. Manoel não deu bola para minha sugestão.

"Não era a senhora, não, doutora. Era outra que não conheço, morena, de cabelos pretos."

Pensei na primeira mãe, desconhecida (morena: Manoel é moreno, cabelos pretos), que talvez tenha tido medo de não conseguir criá-lo sozinha. Decidi não entrar logo com essa chave edípica, tão óbvia. Fiz bem. Manoel não demorou a explicar seu sonho:

"Quando a gente sonha que se perde e se acha no sonho, é bom. Quando a gente acorda sem ter se achado, é porque continua perdido."

Relatou antigos pesadelos, da época em que bebia, nos quais era atropelado – repetição de um incidente real ocorrido quando trabalhava na beira de uma estrada e de fato quase foi atropelado. O pesadelo realizava a catástrofe não ocorrida, que assombrava Manoel na forma desse *por um triz*. Também associou o sonho a um episódio em que se perdeu em Jundiaí, sem mais detalhes. A sessão terminou.

Manoel nunca aprendeu a ler. Depois de adulto, tentou algumas vezes, inclusive com ajuda de uma das professoras da Ciranda – escola para crianças em idade pré-escolar mantida pelos militantes em todos os acampamentos e assentamentos do MST. Mas a inibição diante da palavra escrita bloqueou o aprendizado. Manoel não reconhece nem seu próprio nome.

25 de maio

Assim que entrou na sala me contou outro sonho, que dessa vez chamou de pesadelo. Estava perdido outra vez. Só um rapazinho moreno acudia (ele mesmo, talvez – mas não disse nada).

"Aí eu varava uma cerca para chegar a um lugar que tinha água. Umas pessoas lá queriam me matar ou bater em mim por causa disso. Não fizeram nada porque conheciam o rapazinho moreno. Depois encontrei dona Rose [cozinheira da escola], mas ela não me reconheceu. Ela dizia pra mim mesmo que achava que o Manoel estava morto, assassinado por um cara que eu não me lembro o nome. Acordei às três da manhã, agoniado."

Eu: "Perdido outra vez, Manoel?".

Dessa vez ele associou: "Perdi minha mãe de barriga pra sempre. Só sei que o nome dela é Maria, ninguém me disse nem o sobrenome. Sei que mora em Fortaleza".

Mãe mítica, ancestral e biológica: fonte de água por quem o filho atravessa uma cerca interditada: tudo me parecia encontrar lugar na teoria com muita facilidade. Preferi não dizer nada.

10 de junho

Manoel não se atrasa. Quase sempre é o primeiro da agenda organizada por Ana, secretária da escola. O começo de suas sessões está se tornando padrão. Entra, me abraça sem efusão, sentamo-nos em nossos lugares e ele recorre a seu bordão de sempre:

"Tudo bem, doutora, tudo tranquilo. Só bons pensamentos, sem pesadelos. A saúde está boa – estou até mais jovem!" (ri). Tem os cabelos cortados bem rentes: "Estou parecido com os jogadores de futebol".

Depois descreve seu trabalho na ENFF: cuida da limpeza da cozinha, da horta e também dos porquinhos.

"Eu gosto deles todos. Eles conhecem minha voz de longe, fazem alvoroço quando estou chegando com a comida. Só não consigo matar eles. Não quero nem ver, deixo outra pessoa fazer e vou pra longe."

Prossegue com uma longa fala sobre se dar bem com todos. Conta que na escola todos gostam dele, cuidam dele – mas ele cuida dos outros também.

"Quando eu precisei, cuidaram de mim aqui. Eu podia ter ficado por aí numa beira de estrada, ter amanhecido morto numa valeta, bêbado. Encontrei o movimento e aqui cuidaram de mim. Então cuido de todo mundo também."

Não sabe se quer ganhar um lote em um assentamento. Parece que encontrou, na escola, seu lugar definitivo. Para ele o MST não representa uma via de luta política, mas um lugar onde encontrou amparo e assistência.

"Aqui cuidaram de mim. Não é hora de ficar sozinho numa terra minha, num assentamento. Agora que eu estou localizando melhor as coisas não é hora de me isolar. Mas não saio do movimento, ele é muito importante pra mim. Não estou preparado pra viver sozinho."

23 de junho

O começo da sessão fugiu do protocolo de abertura na forma já estereotipada de dizer "Está tudo bem, tudo tranquilo etc.".

Assim que me cumprimentou, contou um sonho ruim: estava com uma camiseta molhada, fugindo de alguém que queria matá-lo. Em seguida lembrou-se de que, antes desse sonho, tivera outro, em que estava bêbado.

Perguntei se ele nunca tinha ouvido a expressão que designa uma pessoa bêbada como alguém que está "na água", ou "na chuva" (a camiseta molhada do sonho). Assentiu, mas não sei se foi só para concordar comigo. Mesmo assim, sugeri que esse inimigo que o perseguia poderia ser o medo de voltar a ser alcoólatra.

"Pode ser, mas hoje nem meu corpo se lembra mais da bebida, doutora. Podem me oferecer o que quiserem, que não quero mais saber de nada."

Ficou em silêncio – tranquilo. A sessão terminou.

30 de junho

Chegou, como sempre, trazendo para mim a jarra e o copo de água.

"Estou bem, doutora, só tenho bons pensamentos. Não sonhei nada. A vida é boa por aqui. Nem falei nada na assembleia [dos funcionários moradores da escola] porque pra mim vai tudo bem, tudo certo."

Noto que há algo de infantil em sua posição de bom menino, querido por todos, cuidado por todos, sem nenhuma reivindicação desde que continue assim. Mas prefiro não dizer isso a ele nesse momento da análise.

Em seguida, Manoel se lembra do período em que esteve internado.

"Foram três meses que pareceram um ano. Mas eu gostava das pessoas lá, e me fez bem. Antes, no barraco..."

Interrompi para perguntar: "Antes quando?".

"Foi o tempo que eu vivi num barraco de obras em Jundiaí, depois de ter deixado minha primeira mulher."

"Primeira mulher? Foi casado, Manoel?"

"Fui sim, quando voltei a Iguatu, depois de trabalhar em Jundiaí. Eu e ela, a gente bebia muito, brigava muito. Depois a gente separou e ela ficou com tudo o que era meu, fui viver num barraco, bebendo, bebendo. No barraco eu não pensava no futuro. Se eu amanhecesse morto, estava bom. Hoje parece que o corpo se esqueceu da bebida."

Manoel me contou que, depois que veio para São Paulo, nunca mais voltou ao Ceará sozinho, porque não sabe ler e tem medo de se perder entre as trocas de ônibus daqui para lá. Veio a São Paulo pela primeira vez no começo da adolescência, com um tio que o convidou a procurar com ele trabalho na construção civil. Voltou mais tarde a Iguatu. Não entendi se voltou com o tio ou com outra pessoa.

Então se casou com a mulher, cujo nome não disse. Bebeu muito nessa parceria, mas já bebia antes, desde criança. Depois da separação, veio novamente a São Paulo com outro conhecido de Iguatu; trabalhou em Jundiaí e depois em um lugar de cujo nome não se lembra, em obras de conservação de estradas. Ali teve contato com um centro de formação política do PT, depois com o MST, onde foi acolhido e enviado para trabalhar na ENFF. Foi ali, na escola, depois de uma crise grave (aquela que me contou na primeira sessão), que os companheiros o internaram.

"Pode ser que um dia eu viaje de férias lá pro Ceará. Mas não agora. Só volto lá quando tiver conseguido alguma coisa por aqui."

Apesar de ter dito que não queria se assentar para não viver sozinho, está na fila por um pedaço de terra.

"Vou trabalhar muito na terra quando tiver o meu lote. Gosto de plantar. Mas em acampamento não fico porque não tem nada pra fazer."

14 de julho

Chega dizendo, como sempre, que está bem. Sem sonhos nem pesadelos.

Observo, sem lhe dizer nada, a resistência que se manifesta nessa pressa de afirmar o retorno à normalidade.

"Sonho só com as coisas daqui mesmo, de cada dia."

O movimento vem de um projeto progressista na vida: está aprendendo a ler com Andrea, secretária da escola. Já sabe escrever seu nome sem copiar.

Também me conta que finalmente chegou a segunda via de sua certidão de nascimento, requisitada pela direção do MST no Ceará. Agora pode tirar o RG. Todos os seus documentos foram perdidos na época em que bebia.

"Vou ficar documentado outra vez."

Volta a falar do projeto de assentar-se, algum dia.

31 de julho

Não anotei a sessão.

19 de agosto

Chegou muito ansioso. Disse que está desde 1998 sem notícias da família.

Depois contou um sonho: "Eu tinha um passarinho, mas deixava ele quase morto de fome e sede na gaiola. Só que ainda dava tempo pra cuidar, e eu não cuidava".

Antes que eu perguntasse qualquer coisa, disse que aquele passarinho devia ser o pai dele, que ele nunca mais vira.

"Ele pode estar doente, precisando de mim, e nem sabe se eu estou vivo ou morto."

Só nesse momento entendi que, depois da segunda vinda para São Paulo, Manoel nunca mais tivera contato com a família. Não sabia dos parentes e ninguém sabia nada dele. Não tinha o endereço da casa dos pais, embora a cidade ainda fosse a mesma: Iguatu, no Ceará.

Antes de Manoel, eu nunca tivera ocasião de conduzir uma análise com uma pessoa excluída da linguagem escrita. Percebi naquela sessão a condição de desamparo de quem vive excluído da possibilidade de ler os signos que nos orientam em todos os espaços públicos. Manoel tivera a sorte, segundo ele, de ter sido acolhido – ou, antes, *recolhido* – por militantes do movimento quando estava desgarrado, à deriva, sem saber aonde ir nem o que fazer longe da proteção familiar. Tive a exata noção da dificuldade de alguém fazer escolhas ou se movimentar (longe da aldeia natal) em um mundo todo organizado pela palavra escrita. O alcoolismo parecia corresponder a tal estado de deriva.

Tomei a decisão de incentivá-lo a promover uma intervenção objetiva em sua vida. A inibição decorrente do analfabetismo criava, para Manoel, uma espécie de muro intransponível entre ele e o mundo. Parte de sua dependência infantil em relação aos outros decorria disso. Pensei que poderia ajudá-lo a abrir uma brecha no muro que limitava suas escolhas e, principalmente, em relação à família, sua mobilidade.

"Manoel, na sua cidade não existe uma rádio, dessas em que o locutor recebe e manda recados dos parentes distantes para os moradores?"

"Tem sim, doutora. Tem a Rádio Iracema e outra que chama Rádio Jornal."

"Então por que você não pede para o locutor da rádio anunciar que tem uma carta sua esperando que seu pai vá buscar?"

Uma coisa Manoel sabia: que, com ajuda de Andrea encontraria o endereço da rádio na internet. Já o endereço da família, num bairro qualquer da periferia, seria mais improvável. Mas o apelido do pai era conhecido no bairro: seu Zé da Guarda. Se alguém ouvisse o anúncio na rádio, ele seria avisado com certeza.

Deixei que Manoel traçasse o plano. Primeiro foi preciso conceber o pedido que enviaria à direção da Rádio Jornal. Não foi difícil para ele me pedir que escrevesse o que segue:

Peço um favor aos conhecidos e amigos da família de José Bernardo da Silva, o Zé da Guarda, e sua esposa Raimunda, que moram em Vila Neuma, perto de José Padeiro. Seu filho Manoel, que mora em São Paulo, está bem e mandou uma carta pedindo notícias da família. A carta está na Rádio Jornal de Iguatu. Favor vir buscar a carta.

Esse aviso foi colocado em um envelope endereçado à direção da rádio, com um pedido para que fosse transmitido em algum horário de grande audiência.

Em seguida, disse a ele que me ditasse a carta que mandaria para o pai, e que reproduzo abaixo, omitindo apenas os números dos telefones.

Meu pai,
Quero mandar para vocês o telefone do lugar onde eu moro em Guararema, São Paulo. Por favor, telefonem para cá, porque não tenho jeito de ligar daqui para Iguatu. Se vocês ligarem, a gente conversa. Quero notícias da família. Podem ligar a cobrar a qualquer hora do dia. Ou então no meu celular, que também é o mesmo DDD.
Estou com muitas saudades de vocês. Estive um tempo doente, mas graças a Deus me internaram e agora estou bem. Liguem para cá para a gente conversar e eu saber notícias de vocês também.
Um abraço de seu filho...
Se quiserem, por favor, escrevam uma carta para meu endereço.

Depois disso, faltava apenas pedir a ajuda da Andrea para encontrar pela internet o endereço da Rádio Jornal de Iguatu.

1º de setembro
Tudo aconteceu muito depressa. Manoel teve a iniciativa de apressar Andrea, que estava de mudança da escola para outro estado, de modo que ela o ajudasse a buscar na internet o telefone da rádio de Iguatu. Pelo telefone, informou-se sobre como enviar a carta, pegou o endereço e mandou a carta para a família dentro de outra carta, endereçada ao locutor de um programa popular. O expediente teve resultado imediato: o locutor anunciou a chegada da carta para "seu Zé da Guarda" e alguém da família foi até a rádio buscar a mensagem de Manoel.

A irmã ligou em seguida. Disse a ele que, no dia em que o recado foi ao ar pela rádio, sete pessoas bateram à porta da família para avisar que o *Neguinho* estava vivo e mandara notícias de São Paulo. Manoel falou ao telefone com a irmã, o pai e a madrasta. O pai esteve doente, mas agora tomava remédios "para umas tremedeiras que ele tem". Manoel soube que já tinha duas sobrinhas. Pretende mandar algum dinheiro para a família e visitá-los nas férias de final de ano.

Depois do telefonema, ele me disse que se tranquilizou e não teve mais os pesadelos com o passarinho abandonado preso na gaiola.

16 de setembro
Chegou contente. Comprou um cartão de telefone para falar com a irmã a qualquer hora. Não mencionou sonhos. Trouxe-me presentes: um punhado de jabuticabas e uma garrafa de suco de amoras produzido pelo MST.

"Vou lá em casa visitar o pessoal no fim do ano. Ou então vou mandar um dinheiro pra eles."

Não mostrou muita clareza quanto ao desejo de rever a família. Durante a sessão, oscilou entre querer visitá-los e mandar dinheiro. Disse que a quantia não haveria de ser muito grande, porque a ajuda de custo que recebia na escola era bastante apertada. "Mas sobra, porque aqui não tenho quase nenhum gasto."

Perguntei: "Por que você tem dúvidas sobre ir lá ou não?".

Ele me disse que tem medo de fazer a viagem sozinho e medo do que vai encontrar em Iguatu. Não perguntei se ele também tem medo de decepcionar a família ou de não ser tão bem recebido lá. Por enquanto, o fato de ter retomado o contato, de saber que estão bem e que pode ajudá-los eliminou a angústia e os pesadelos.

29 de setembro
Falou mais da família e de seus planos de ir ao Ceará. "Estou tranquilo, doutora, não tenho nenhum assunto. Nem sonhos. Só que ando quieto. Os outros estranham, perguntam o que há comigo, mas só digo que estou bem."

Algumas conexões psíquicas que estavam abandonadas integraram-se de novo à sua vida consciente. Manoel me parece um homem menos infantilizado, menos dependente dos cuidados dos outros.

Mesmo assim, insiste em dizer: "Aonde eu for, tem sempre gente que gosta de mim e cuida de mim se eu precisar".

É evidente que ele resiste a mudar de posição, daquele que precisa ser cuidado – e disputado por vários cuidadores – para o que é capaz de cuidar da família. O filho adulto que pode enviar dinheiro, que mostra preocupação com eles etc.

Mas a virada subjetiva já foi iniciada: Manoel retomou sua origem, não é mais desamparado, dependente da "ajuda" de todos. Não precisa necessariamente viajar para Iguatu: a partir da retomada do contato, já sabe que pertence a uma família.

21 de outubro
O paciente do horário anterior não veio e não me avisou, fiquei esperando por ele.

Avisar, a não ser pessoalmente, é impossível na ENFF. Nos quartos não há sinal de celular. Se alguém é convocado para alguma tarefa ou viagem de emergência no horário da análise, é frequente o analista esperar sem ser avisado.

Às vezes, mais raramente, há quem se envolva em alguma atividade, ou caia no sono morto de cansaço e se esqueça da sessão. Isso introduz a discussão sobre a falta de pagamento dessas análises – tema que mencionarei, sem procurar esgotar o problema, no posfácio.

Ao chegar – pontual, em seu horário –, Manoel me viu esperando, do lado de fora da sala, pela pessoa do horário anterior. Começou a sessão dizendo que fica preocupado comigo quando a pessoa marcada não vem.

Eu respondi que não se preocupasse: não era sua atribuição se preocupar com minhas esperas nem tentar garantir que as outras pessoas viessem para as sessões de análise.

Pela primeira vez, Manoel me enfrentou:

"Eu me preocupo sim. Não adianta a senhora não querer; eu me preocupo, porque eu sou assim."

Em seguida, me deu de presente uma pulserinha de barbante trançado que levava no braço. (É o segundo presente que recebo desde que ele localizou a família.)

"Nada de novo pra contar, doutora. Eu ando quieto, meio triste, pensativo. Perguntam se eu estou doente, porque eu sou sempre animado e alegre. Dizem pra mim: 'Essa cara não é sua'. E eu respondo que é minha, sim. Eu posso fazer graça pra alegrar vocês, se vocês quiserem. Mas, quando estou preocupado, eu fico quieto porque preciso pensar."

"Anda pensando em quê, Manoel?"

Conta que falou ao telefone com a irmã e com um dos irmãos, Francenildo.

"Não querem que eu mande dinheiro, querem que eu vá lá."

Ao ser indagado sobre o conflito que o impede de decidir se vai ou não, menciona apenas a insegurança de fazer a viagem longa, com muitas paradas e o risco de não conseguir localizar o ônibus certo – mas depois me diz que já sabe como resolver esse problema.

A ambivalência em relação ao reencontro com a família, bem como a razão das "preocupações" recentes e da dúvida entre ir e não ir, comparece na forma da hesitação entre viajar e não viajar, mas não comparece na fala de Manoel.

Aliás, nessa sessão, voltou ao tema do seu direito de ficar calado.

"A Andrea, por exemplo, que cuidou de mim mais que todos na escola, agora está mal, anda deprimida. Eu quero ajudar ela também, mesmo que ela não peça nada."

Questionei sua posição de estar sempre disponível para ajudar todo mundo, preocupado com problemas que não são dele (até comigo).

Respondeu de pronto: "Eu ajudo, doutora, não adianta dizer que não sou obrigado a ajudar. Ajudo. Sabe por quê? Porque sou um homem...".

Nesse momento, antecipei em pensamento alguma fala em que Manoel indicaria seu papel de homem diante das fragilidades femininas: ele seria um homem que se preocupa com as mulheres.

Mas não, o alcance de sua resposta revelou uma identificação universal com o semelhante: "... porque sou um homem, e tudo o que acontece com outras pessoas me preocupa. Ninguém vai mudar isso em mim. Quando acontece alguma coisa com outra pessoa eu fico triste, mesmo se eu não conheço a pessoa. Até se eu vejo um pobre coitado qualquer caído bêbado na estrada eu me preocupo".

Nada do que é humano me é estranho, pensei, diante da afirmação carregada de intuição humanista vinda de um homem sem nenhuma instrução escolar.

E terminou com uma afirmação segura sobre seu desejo: "Isso eu não quero mudar".

27 de outubro

Repete que tem estado mais quieto e mais sério.

"O pessoal aqui da escola anda estranhando essa mudança. Vem sempre gente perguntar se eu estou bem, se estou sentindo alguma coisa, se estou com uma preocupação, e eu falo que não, que estou bem assim mesmo. A Aline me perguntou: 'O que você tem? Essa não é a sua cara...'. Eu respondi: 'Minha cara é a mesma, só está um pouco mais velha' [riu]. Estou pensando só no meu futuro. Se eu acordo quieto, pensativo, não é porque estou com problemas, nem triste, nem com raiva de ninguém."

Disse a ele: quem sabe de você é você mesmo. Você sabe dos seus motivos pra estar triste ou pensativo. Sabe o que te faz sofrer e ficar triste e sabe que pode vir refletir aqui na análise.

(Há um custo *social* na mudança de posição de Manoel. Os companheiros se incomodam. O convívio na escola é muito intenso, tudo é feito coletivamente, e os trabalhadores que moram e trabalham ali vivem nessa pequena comunidade seis dias por semana – às vezes sete, quando não têm para onde ir durante as folgas de domingo. Esse microcosmo fechado sobre si mesmo favorece a padronização dos comportamentos e das expectativas sobre cada membro do grupo. Não é fácil fugir ao estereótipo adquirido, e Manoel tem lutado para se fazer reconhecer e respeitar em sua nova fase, em que não oferece mais aos companheiros o *semblant* do menino que depende do cuidado de todos e, em troca, faz graça e alegra os companheiros. Deixou de ser a criança brincalhona de quem todos cuidam e que agrada a todos. O que os colegas entendem como sinal de preocupação pode ser o efeito da conquista de uma vida interior e de uma independência em relação à demanda.

Depois de ter escapado de seu lugar confuso na família – filho de dois pais e quatro mães – e de recosturar, em análise, o fio de sua ascendência, Manoel apropriou-se de si mesmo. Não está mais ao sabor das demandas dos outros. E nem das minhas demandas, como deixou bem claro ao afirmar que *não vai atender* a minha sugestão de não se preocupar com problemas que não são dele.

Ao afirmar que *não quer* deixar de se preocupar com os outros, Manoel faz de seu antigo destino uma escolha movida pela força do desejo.

15 de novembro

Chegou com uma novidade: encontrou uma namorada. Adriana. Conheceu no ônibus para Jacareí. "Conversei com ela no ônibus. Ela tem uma história triste, *igual à minha*. Também perdeu a mãe, pequena, sofreu muito."

Falou bastante de seus planos de ter uma família e um canto, talvez um lote num assentamento.

Repetiu que tem andado muito quieto e mais sério. Só se incomoda porque as pessoas, acostumadas a vê-lo sempre alegre, estranham esse jeito novo. Mas não vai mudar por causa dos outros.

24 de novembro

Está quase certo de ir ver a família no final do ano. Hoje haverá uma reunião na escola para decidir quem vai viajar e quando (há um rodízio das viagens, nas férias de fim de ano).

Pergunto: "E você, quer ir quando?".

"Para mim tanto faz, desde que eu vá."

"Sim, mas que data é melhor pra você?"

"Tanto faz. Eu indo, não faz diferença se eu vou no primeiro grupo ou no segundo." Contou notícias da família, com quem agora fala ao telefone com frequência. Seu apelido em Iguatu não é Caroço, é Neguinho.

Gosta mais desse? "Tanto faz..."

Adriana, a namorada, ligou. Vai visitá-la no fim de semana, ela quer vê-lo. Contou que a primeira namorada em Iguatu não queria apresentá-lo ao pai porque ele era "bravo". "Eu insisti com ela, insisti, e no fim gostei muito do sogro. Mas não fiquei com a filha dele, não. Me casei foi com outra, gostei de uma pior: minha mulher bebia muito e eu bebia também, a gente tinha cada briga feia! Demorei muito pra me separar. Agora estou mais inseguro com as pessoas."

"Como assim, inseguro?"

"Antes eu achava que ninguém se importava comigo, então quem me chamava eu ia atrás. Agora sei que tem gente que se preocupa comigo. Não vou mais atrás de qualquer um. Dou valor pra minha vida. Também não quero que ninguém venha dizer o meu futuro – as ciganas, essas pessoas assim. Eu é que vou decidir."

Essa afirmação não me pareceu nada insegura; imaginei, sem dizer nada a ele, se a "insegurança" não seria própria da mudança de posição subjetiva.

Continuou: "Eu antes bebia porque era meu destino. Ficava chateado de ter quebrado esta jarra aqui, aí bebia porque estava chateado e por isso quebrava mais outras".

Termina ao me dizer, com ar encabulado (talvez, agora sim, como um menino) que quer ver se dá mesmo para casar com a Adriana.

8 de dezembro

Última sessão do ano.

Chega muito contente porque já comprou passagem para Iguatu. Vai no dia 18. A irmã quer que ele fique por lá, morando com a família.

"Ainda não falei a minha decisão pra ela, mas já sei que não vou voltar a morar lá. Vou ficar mais ou menos um mês, mas não vou voltar pra viver na casa de meu pai."

Depois se diz desanimado com a namorada. Vai tentar conhecê-la melhor pra decidir se casa ou não, mas só na volta da viagem.

"Quando casei da outra vez, sem conhecer direito a mulher, perdi tudo o que eu tinha com ela. A gente bebia junto, depois brigava muito. Um dia eu larguei a casinha, tudo o que a gente tinha lá, larguei tudo pra trás, deixei pra ela e vim embora de novo pra São Paulo, sem nada."

(Nessa sessão, entendi que ele "se perdeu" duas vezes em São Paulo: a primeira, no início da adolescência, quando veio na companhia do tio tentar trabalho. Depois de concluir algum serviço temporário na construção civil, o tio foi embora e Manoel ficou. Quando quis voltar ao Ceará, não sabia como fazer. Só quando o tio reapareceu e, mais tarde, quis ir embora de novo, Manoel voltou com ele. Nessa época, casou-se, começou a beber, perdeu tudo e veio novamente tentar a vida na mesma região: Jundiaí, Pedreira etc. Serviços pesados de conservação de estradas – cortar capim, consertar o acostamento etc. –, vivendo sozinho num barraco de madeira e "se acabando" de beber. Foi no álcool que Manoel "se perdeu" pela segunda vez e nunca mais voltou para a casa da família).

"Se não tivessem cuidado de mim, eu já tinha morrido. Se eu contasse tudo o que eu já passei na minha vida..."

(A perspectiva de rever a família reavivou as lembranças de "tudo o que ele já passou" na vida – mas nesse dia não conta mais nada.)

Nós nos despedimos para um período de férias.

2007

26 de janeiro

Chegou pontualmente como sempre, trazendo a jarra d'água fresca para deixar sobre a mesa. Estava contente: logo que fechamos a porta, já me contou que fora a Iguatu, onde ficara durante três semanas com a família. Observou que a cidade cresceu muito, mas ele reconheceu todos os lugares. A irmã quis ir buscá-lo na rodoviária, e foi.

"Mas, se ela não fosse, eu tinha chegado sozinho na casa do pai. Ele mora no mesmo lugar, uma rua pra cima da casa antiga."

A família quer que ele volte a viver lá. Estão todos bem, e Manoel foi tratado com muito carinho.

"Lá ninguém sabe que eu sou o Caroço, lá eu sou Neguinho."

Perguntei como ele gosta mais de ser chamado e, como sempre, respondeu que pra ele tanto faz.

"Aqui falam Caroço, lá falam Neguinho, e ainda tem a senhora que só me chama de Manoel, que eu também gosto porque a senhora disse que é pra eu não me esquecer do meu primeiro nome."

Quem teria dado o nome Manoel, a mãe de barriga ou a mãe de umbigo? Ele não tem a menor ideia.

Saiu com os irmãos homens e com o cunhado para ver a cidade, mas não foi a festas para não beber.

"Eu disse: 'Vim aqui pra ficar em casa com vocês'. E fiquei mais foi em casa mesmo."

Afirmou que está pensando em voltar a viver junto da família.

"Eu falei: 'Olha, pai, eu já vi o mundo. Em todo lugar que eu vou, gostam de mim, mas não é a mesma coisa que a família'."

Contou que a irmã ficou tão chateada com a partida dele que nem foi se despedir.

"Mas eu não podia avisar na escola que não ia voltar mais. Aqui todo mundo foi legal comigo, cuidaram de mim, eu não sou de largar as coisas assim. Se eu resolver sair, vão deixar. Mas eu tinha compromisso de falar com as pessoas e, se for sair, só depois de me despedir na frente de cada um, não assim, deixar recado pelo telefone."

A viagem ao Ceará reavivou também lembranças ruins do alcoolismo. Voltou a contar que começou a beber quando se casou, em Iguatu, com uma mulher que bebia muito. Depois se contradisse: "... Mas eu com onze anos já bebia e ficava de fogo".

"Quando larguei a mulher, deixei tudo o que eu tinha com ela. Mas foi melhor, porque, se eu tivesse trazido alguma coisa aqui comigo, teria vendido e bebido mais."

Pela primeira vez, ao retomar as lembranças das bebedeiras, diz que "aquilo foi um trauma".

Não tem importância se empregou o termo por força de expressão. O fato é que ele tem razão. A repetição das recordações ruins, assim como a insistência dos sonhos traumáticos, revela com muita clareza que a experiência extrema com a bebida, assim como com a droga, traumatiza o psiquismo. O gozo que o álcool proporciona, por sua própria natureza de ultrapassar a barra que dá contorno ao gozo fálico, é traumático.

O alcoólatra corre o risco psíquico de se aproximar "da Coisa", *das Ding*, na expressão de Freud. Um gozo que, na avaliação de Lacan, só é conhecido por alguns místicos, pelos alcoólatras e drogadictos e por algumas mulheres. Não todas.

Manoel encerrou a sessão repetindo, sombrio: "Se aqui não tivessem cuidado de mim, eu teria morrido".

10 de fevereiro

Iniciou com seu bordão de sempre: tudo tranquilo, tudo bem. A seguir falou mais da família: "Todos querem que eu vá morar lá, mas o pessoal da escola também quer que eu fique aqui".

"Disputado, Manoel?"

Minha pergunta o levou a retomar a história de suas repetidas adoções. Não se diz abandonado, mas disputado desde o terceiro dia de vida: pela mãe natural que o entregou por falta de recursos e depois tentou retomá-lo da mãe/avó adotiva, que por sua vez recusou a devolução, e assim foi de mãe em mãe até a atual madrasta, "a quarta da fila". Ri.

Chama a mãe adotiva de madrasta e o pai adotivo de pai, sem saber explicar por quê. Como se soubesse que, do pai, o que conta é a função.

O conflito entre voltar e ficar ainda não se resolveu.

Contou que em Iguatu foi a uma festa no clube onde o irmão trabalha, mas só tomou refrigerante e conversou com todo o mundo. Refletiu que, se voltasse para lá, teria de sair do movimento (não sabe se existe algum grupo do MST por perto). Não sabe se quer tomar uma decisão dessas.

"Mas eu disse pra minha irmã não ficar triste. Disse que vou ficar bem, não vou nunca mais sumir no mundo. Ou eu vou estar aqui, ou num acampamento, ou num assentamento. Disse também que agora não tenho mais medo de me perder, posso visitar mais a família."

Lembrou-se de que alguma vez eu tinha dito que, mesmo sem saber ler, podia inventar outros meios para se localizar.

"Não preciso viajar só se estiver acompanhado de um guia, como se eu fosse cego."

16 de fevereiro

O mesmo prólogo: "Eu estou bem, me sinto bem, tudo tranquilo".

Diz que sente saudades da família. "No final deste ano, vai pra lá ou fica aqui?"

"Agora só quem sabe o que é melhor pra mim sou eu."

"E o que é melhor pra você?"

"Vou ter que pensar."

Repete que a decisão de voltar para o Ceará implicaria sair do movimento. Ou fica na ENFF, ou vai para um assentamento, ou sai do MST e vai viver com a família.

"Mas aí, depois, se eu cansar de lá e quiser voltar pro MST, tenho que começar tudo do zero: acampar, ocupar terras, fazer marchas, até me inscreverem de novo para um lote." Sugeri que ele deveria conferir se, sendo um militante antigo, teria de recomeçar mesmo do zero.

(Se tinha de enfrentar o conflito a respeito dessa escolha, não deveria inventar falsos pretextos para fazer de seu desejo uma escolha forçada.)

"Eu disse pra minha madrasta não chorar porque agora eu já sei o que é o mundo. Nós estamos todos adultos, todos os filhos dela."

Depois ficou muito comovido ao se lembrar de quanto tempo ficara perdido e deixara o pai preocupado, sem saber se ele estava vivo etc.

(Passei um mês sem poder vir.)

23 de março
Começou como sempre: tudo bem, tudo tranquilo. A seguir, passou direto ao ponto: não quer mesmo se mudar para Iguatu. Prefere ficar na ENFF.

Para explicar as razões de sua escolha, inventou a metáfora da chave: "O homem tem que ficar no lugar onde a chave fica na mão dele. Lá, se eu quiser sair à noite, não tenho a chave da casa. Estou na casa de meu pai, a chave é dele. Aqui, na casinha que eu moro com outros colegas, cada um tem o seu quarto e a sua chave. Se eu sair, ninguém tem que saber da hora que eu volto, isso é da minha conta só".

Apesar do jeito de bom menino, Manoel recusa essa forma de dependência emasculada em relação ao pai. Sua recusa a viver tutelado, "sem a chave na mão", me fez evocar o lugar de autoridade que caracteriza a posição do patriarca nordestino, diante do qual os filhos não adquirem nunca a autonomia de homens adultos.

Manoel não abre mão de "ter a chave" da própria vida. Não importa que, na prática, ele não seja muito de sair à noite. No momento, nem tem namorada. Adriana desapareceu de sua fala desde que ele voltou de Iguatu.

"Eu brinco com as moças bonitas: 'Meu pai tá atrás de uma nora assim como você'. Mas não é pra valer."

Depois me conta que começou a frequentar uma escola de alfabetização de adultos no bairrinho de Guararema, vizinho à escola. Vai às aulas todas as tardes, quando termina o trabalho. Volta a justificar sua decisão de ficar, e me conta o que mais lhe prende à ENFF:

"Aqui todo mundo se preocupa com os outros. Não deixam ninguém pra trás. Eu também, se vejo uma pessoa triste, vou lá e pergunto o que há. Não me intrometo nos assuntos dos outros, mas, se precisarem, eu ajudo."

(Com o tempo, percebi que a visão idealizada que Manoel conservou a respeito da solidariedade entre todos na escola – administração, equipe fixa de trabalho e alunos temporários – decorria de sua própria posição, bastante subalterna, no grupo. Manoel participava do que se poderia chamar de escalão mais baixo das tarefas da ENFF. Mas, ao contrário de quase todos os outros em situação semelhante à dele, que pleiteavam frequentemente ser escalados para tarefas consideradas mais importantes, ou para participar dos cursos e se beneficiar das atividades de formação oferecidas aos alunos, Manoel nunca reivindicou nada. O analfabetismo o excluía de qualquer outra perspectiva de trabalho e militância. Embora estivesse na lista para receber um lote de terra prestes a ser liberada pelo Incra – Instituto Nacional de Colonização e Reforma Agrária –, na região de São José, dentro da escola Manoel era visto como uma espécie de criança, querida por todos, que não disputava nada com ninguém. Nunca sofreu em consequência de disputas de poder e rivalidades, nas quais os companheiros se envolviam com frequência.

Talvez por isso, para ele, a solidariedade dentro do movimento parecesse irrestrita.

"No movimento, não fica ninguém fora do ônibus. Se não couber todo mundo, a gente se aperta, ou arruma outro carro pra botar quem não coube. Mas ninguém fica pra trás."

Ao final da sessão, afirmou que tem seu próprio jeito de falar e de pensar.

"Quando fiz a entrevista de trabalho na escola, com a R., ela me disse que eu era muito esperto, sabe por quê? Porque eu respondia às perguntas dela dando voltas. Eu respondi que não era esperteza, é que eu não posso responder tudo de frente, direto. Esse é o modo do meu pensamento."

Suponho que exista, sim, uma esperteza, transmitida entre gerações, na estratégia de afirmar as coisas através de rodeios, de imagens indiretas, característica das regiões em que o modo de dominação não admite enfrentamentos ou contestações.

Manoel deve ter adquirido a tal sabedoria de "responder dando voltas", transmitida pelo *estilo do uso da linguagem* entre seus familiares, desde o começo da vida. O estilo no uso da linguagem não é algo que se ensine: é o que se transmite de geração em geração, e cada sujeito é impregnado dele de forma inconsciente. Talvez por isso Manoel não reconheça como esperteza. Ele tem razão: esse é o "modo do seu pensamento". O mesmo que faz com que ele sempre comece as sessões com o bordão "Tudo tranquilo", para tranquilizar a analista... e depois não evite abordar os temas mais difíceis, vergonhosos ou traumáticos.

Termina a sessão afirmando que de pelo menos uma coisa tem certeza: "Eu sou analfabeto, mas não sou burro".

13 de abril
Quando cheguei à ENFF, R. (a dirigente que o chamara de "esperto") veio me contar que estava preocupada com o jeito dele, muito "deprimido".

Respondi que preferia que ele me contasse sobre isso na sessão, mas ela ainda me fez saber que, depois de um ano, *havia terminado o período da prescrição do medicamento* para controlar a compulsão ao alcoolismo.

Eu não me dera conta de que, depois de sair da internação, Manoel passara todo o primeiro ano de sua análise com a ajuda de medicação psiquiátrica.

A preocupação de R. se confirmou: de fato, dessa vez Manoel não abriu a sessão como sempre, afirmando que tudo estava bem. Disse que estava muito triste e não parava de pensar em uma cena que vira no caminho que vai da escola até a via Dutra: um homem, bem mais velho que ele, caído bêbado na beira da estrada.

"Fico sempre pensando que eu poderia hoje estar como aquele senhorzinho."

Depois me contou, por conta própria, que *tinha terminado o período do remédio* e isso o deixava inseguro, *desprotegido*, com medo de voltar a ter vontade de beber. A seguir, como é de seu estilo, tentou apagar os rastros:

"Mas não se preocupe, doutora, vai ficar tudo certo. A tristeza é da vida, não é? Não tenho mais vontade de voltar a beber, não precisa se preocupar."

Dessa vez, a negativa me preocupou.

27 de abril
Voltou ao tradicional "Tudo bem". Começou a sessão com a notícia de que retomou as aulas de alfabetização. Não tinha contado antes que, nas semanas da *tristeza*, havia desistido das aulas. Não procurou nenhum médico em Jacareí pra receitar a continuação do remédio. "Aquela fase acabou mesmo. Não dá pra tomar remédio a vida inteira."

Insiste em que não sente vontade de voltar a beber. Para ocupar o tempo livre, tem se incluído nos passeios com o pessoal da escola.

"Outro dia teve uma festa em Santa Isabel, todo mundo foi lá. Um pessoal resolveu brincar comigo e me ofereceram um copinho dizendo que tinha um remédio lá dentro que era bom pra tudo. Bebi um gole, aquilo me queimou todinho por dentro, não quis mais saber. Fiquei chateado com os colegas, falei que se não quisessem perder minha amizade era pra não me provocarem mais com assunto de bebida."

"Quando penso 'bebida', lembro sempre do mal que me fez e a vontade vai embora." Observei que, se "a vontade vai embora", é porque antes ela tinha estado lá, mas recusou com força minha sugestão, explicando que aquilo era uma "maneira de dizer".

Diante do seu modo convencional de começar a anunciar o fim da sessão ao dizer "Fora isso, tudo bem", perguntei se não tinha nenhum sonho que quisesse contar.

"Sonhos: não. Não acredito em sonhos. Só em pesadelos [ri]. Os pesadelos que eu tenho são iguais às coisas que eu sinto. Quando eu bebia e ouvia vozes, via coisas, aquilo era igual a um pesadelo. Quando tenho pesadelos, parece igual àquilo outra vez."

11 de maio

Mudou o padrão do começo da sessão. Entrou na sala e foi direto ao ponto.

"Tive um sonho esquisito" – ou seja, um pesadelo.

"Eu saía de uma festa e entrava num buraco grande – não caía, eu entrava mesmo, porque tinha que limpar uns galhos e uma sujeira que estavam lá dentro. Tinha umas melancias pequenas no fundo do buraco e também um marimbondo. Quando acordei, estava preocupado. No Ceará, sonhar com melancia é pressentimento da morte de alguém."

"Por que melancia, Manoel?"

Associou o vermelho da carne da melancia com a cor do sangue.

Perguntei se o sonho não lembrava um pouco nosso trabalho na análise: entrar em buracos, limpar os galhos que atrapalham a passagem, colher algumas frutas, enfrentar a dor (marimbondos). Ficou evidente que concordou por delicadeza: não pareceu envolvido com minhas associações.

Forcei um pouco a associação de "cair num buraco" (emburacar...) com voltar a beber. Dessa vez minha sugestão repercutiu: Manoel voltou a falar longamente sobre o período de alcoolismo.

"Aquilo me deixou traumatizado" (expressão dele próprio).

Repete sua declaração de intenções como uma espécie de oração (penso que talvez isso tenha a ver com o método de autoconvencimento empregado na instituição onde esteve internado).

"Eu hoje, se tivesse que ir embora da escola, não ia sair à toa por aí, bebendo, sem cuidar da minha vida, como eu fazia antes. Aqui também todo mundo já sabe que não adianta me oferecer bebida porque eu não aceito. Eu não julgo mal quem bebe, sou eu mesmo que não quero beber mais."

Também repetiu sua fórmula particular, que nesse dia me pareceu um modo de expressar o reconhecimento da dívida simbólica:

"Eu aqui ajudo os outros todos, sempre que precisam; porque um dia, quando eu precisei, fui ajudado."

25 de maio
Novamente dispensou preâmbulos e entrou direto relatando um pesadelo:
"Sonhei que eu estava bêbado."
"E o que mais?"
"Foi só isso. Pra mim já é um pesadelo."
Em seguida, passou a se indagar sobre seu suposto valor junto aos outros.
"Eu penso muito por que foi que as pessoas cuidaram de mim. Comparo isso com outros que foram mandados embora da escola [por alcoolismo]."
Perguntei se esses que foram mandados embora ficavam agressivos quando bebiam. No instante seguinte me arrependi da pergunta-sugestão. É evidente que deveria ter deixado que ele seguisse em sua especulação. Minha pergunta ficou solta no ar. Manoel voltou ao seu bordão:
"Agora eu não tenho mais vontade de beber, mesmo quando eu vejo os outros se divertindo."
Voltou a falar com muita insistência do mal que a bebida lhe fez, repetiu outra e outra vez que, quando vê alguém embriagado, fica triste, pensando que poderia ser ele naquela situação.
Compreendo, de forma cada vez mais dramática, tanto a insistência das recordações quanto sua necessidade de repetir, como quem esconjura um demônio, que não tem mais vontade de beber. O encerramento da fase de medicação parece tê-lo deixado mais exposto ao retorno do "além do princípio do prazer".
A repetição da recordação traumática é, à maneira do sintoma para Freud, sobredeterminada. Isso significa que são duas as correntes psíquicas que movem a repetição de certas recordações que o sujeito tenta esquecer, mas não consegue, da mesma forma como não consegue se livrar dos sintomas persistentes. Por um lado, a recordação do evento traumático, mesmo quando angustiante, pode ser uma forma de elaboração que permite *ligar* o gozo da pulsão de morte por meio dos processos secundários do pensamento e da recordação. É inegável que, por outro lado, ao voltar a recordar o trauma, o sujeito ainda goza disso.
A diferença é que o gozo mortífero, a que chamamos na psicanálise lacaniana de "gozo do Outro", agora não é mais vivido no corpo, e sim *evocado* na forma do relato e da rememoração dos estados de embriaguez. A passagem pela elaboração reduz o gozo do Outro ao gozo fálico, incluído na linguagem e barrado pelo significante.

Manoel nunca mais havia mencionado as razões do fracasso do projeto de namoro com Adriana. Nessa manhã me contou de outro projeto amoroso:

"Conheci uma mulher. O nome dela é Sebastiana. Ela foi casada já, tem 46 anos [pouco mais velha que ele] e duas filhas."

Novamente o que lhe interessou, nessa mulher, foi a identificação com a vida sofrida. O marido de Sebastiana era alcoólatra. Por causa dele, ela havia perdido muitas coisas. (Seria este movimento, de se oferecer para substituir o marido da outra, mais uma forma de afirmação da cura do alcoolismo? Um ex-alcoólatra vem ocupar o lugar do antigo marido alcoólatra, assim como ele mesmo também fora, durante o casamento com a antiga mulher?)

Trouxe para a sessão um envelope fechado com uma cartinha que a filha mais nova de Sebastiana lhe escrevera. Pediu que eu lesse o bilhete; eu disse que pelo menos abrisse, ele próprio, o envelope colado. A cartinha continha palavras de amor que pareciam evangélicas e um coração vermelho desenhado. Manoel não pareceu sensibilizar-se com ela. Sem grande entusiasmo encerrou o relato com um "Vamos ver como é que vai ficar...".

Me deu um beijo ao sair e observou, zangado, que ninguém tinha deixado a jarra d'água sobre minha mesa.

8 de junho

Outro analisando da ENFF, J., viera a São Paulo de carro e pedira uma sessão em meu consultório. Aproveitou a viagem para trazer alguns colegas que também queriam a "consulta" – entre eles, estava Manoel.

Assim como os outros companheiros, Manoel não demonstrou nenhuma inibição ao entrar em meu consultório paulistano, completamente diferente e bem mais confortável do que o que estava acostumado a frequentar na ENFF. Mal olhou à volta, sentou-se e começou a falar.

"Sonhei um pesadelo igual àquele outro, que eu estava bebendo."

"Só isso, Manoel?"

"Mas não tenho vontade nenhuma de beber, eu sei que tenho esses pesadelos não é por vontade, é pra lembrar o que eu passei. Sempre que sonho essas coisas acordo chateado de pensar que eu poderia ter morrido. Podia ter amanhecido morto, atropelado numa beira de estrada, ou com uma facada que eu nem ia perceber, ou com um tiro da polícia..."

Pensei que, apesar da desintoxicação do corpo, o gozo insiste nos sonhos, com seu imperativo sadista. Ao imperativo Manoel responde com a mesma recusa de sempre, tendo a analista como testemunha. Manoel convoca a analista a ocupar o lugar do Outro para que o escute e aposte em sua renúncia ao gozo... do Outro. A seguir muda de tema e me conta que não se encontrou mais com Sebastiana.

"Não gostei de uma coisa que ela disse: que não sabia se eu não tinha intenção de me aproveitar das coisas dela como o namorado antes de mim. Eu tenho meu trabalho e meu lugar, não preciso me aproveitar da casa de ninguém. Também não sei se é bom tomar um compromisso aqui com ela porque, depois, e se eu quiser voltar pro Ceará?" (Qual seu lugar no mundo agora, o de marido e talvez pai de alguém ou o de filho de seu pai? Importante lembrar que a madrasta, a quarta mãe, também se chama Sebastiana.)

16 de junho
Novamente na ENFF.
"Nesta semana tive um pesadelo que eu já tive outras vezes. Sonhei que ia pular de um barranco. Quando pulei, acordei."

Pulo, queda – sugeri que talvez tivesse medo de "cair" na bebedeira. Lembrou-se de uma vez em que bebera demais e caíra efetivamente barranco abaixo, depois dormira lá mesmo. Só no outro dia os colegas do serviço o encontraram dormindo e cuidaram dele.

Reencontrou Sebastiana e decidiu: "É namoro mesmo. Ela já sabe que estava suspeitando bobagem de mim, não quero nada dos outros. Eu tenho meu trabalho, minha casa com os companheiros, mas que é minha também. E pode ser até que chegue o dia de ganhar um lote. Mas, mesmo se eu fosse viver em Iguatu, não seria na casa de meu pai, porque já me acostumei a ter uma casa minha mesmo. Se eu fosse pra lá, seria pra viver independente".

Voltou a rememorar episódios do tempo em que bebia, mas com uma diferença: o antigo fatalismo com que falava do álcool deu lugar à admissão de uma escolha do sujeito. "Eu brincava com os avisos dos outros, doutora. O pessoal me falava: 'Ô Caroço, desse jeito você vai morrer aos poucos!'. E eu respondia: 'Mas assim é melhor, quem disse que eu quero morrer de uma vez só?'. Ou então quando me chamavam para ir à igreja em vez de beber eu também respondia: 'Se é pra eu beber um dia e ir à igreja no outro, prefiro beber todo dia, de uma vez'. E concluiu: 'Eu escolhia brincar com a minha vida'."

A posição subjetiva mudou. De objeto de um gozo sinistro a sujeito de suas escolhas. Afirmou que as "consultas" comigo ajudaram a perceber essas coisas.

"Eu era muito estúpido. Se as pessoas me ofendiam, eu só sabia reagir com estupidez. Agora eu escuto, penso um pouco e depois é que eu respondo."

26 de junho
"Não tenho sonho nenhum nesta semana. Eu durmo muito pouco, agora."
Perguntei se dormia pouco por medo dos pesadelos.
Respondeu que, quando sonha, é sempre com a bebida, mas tem certeza de que não quer voltar a beber. Outras vezes, sonha que já bebeu – está caído em algum lugar, ou sofrendo de ressaca, e no sonho se sente arrependido.
"Eu, quando sinto assim um cheiro de cachaça que alguém traz pra perto de mim, no dia seguinte já acordo com ânsias."
Descreveu com detalhes o que lhe acontecia: quando começava a beber, não queria parar. No dia seguinte, sentia-se muito mal e, por isso, bebia de novo para melhorar.
"Não era melhora, mas é que a bebida de um dia parece que apagava as ânsias da bebida do outro dia. E no dia seguinte eu ficava pior ainda! Então eu bebia de novo. Durante muito tempo eu vivia rolando de lá pra cá, não me prendia a nada, então tanto faz beber como não beber, daí eu bebia porque já estava acostumado."
No momento, decidiu pesar melhor suas escolhas. Dá mostras de que considera o valor do que tem a perder. Mas disse, com muita firmeza, que *agora percebe* muito bem que, na época em que bebia, aquilo também era ele que escolhia fazer. Entre o que escolhia beber e o que escolhe *não gozar disso*, o que mudou foi a posição do sujeito diante do Outro, o "Mestre do gozo". Por fim, repetiu, sem novas elaborações, seu dilema: voltar para viver perto da família em Iguatu ou ficar em São Paulo, vivendo na escola ou em um lote conquistado em algum assentamento. Perguntei: "E quanto a viver com Sebastiana?". Não respondeu. Não sou capaz de distinguir, nos termos em que expressa seu conflito entre viver na ENFF e em Iguatu, perto da família, se Manoel tem mesmo vontade de voltar – nesse caso, em conflito com a outra vontade, de ficar na escola – ou se a fantasia de voltar a viver na casa paterna expressa um sentimento de dívida, de obrigação para com a família distante, que deseja claramente sua volta para o Ceará.

10 de julho
Começou com a frase de sempre, seu enunciado automático de uma vontade de paz: "Tá tudo bem, doutora. Tá tudo tranquilo. Aqueles pesadelos com bebida não voltaram mais". Passou a sessão inteira exibindo, com observações sobre tudo

e todos, seu estilo muito pessoal de falar. Tive a certeza de que percebeu que tenho prazer em escutá-lo e me ofereceu um verdadeiro *show* de cultura oral.

Sobre o Pizzeta, por exemplo (um dirigente da escola de quem gosta muito): "Ele é muito bom. Ele nem parece que é, de tanto que ele é".

A seguir, filosofou um pouco sobre sua condição na ENFF:

"Quando a gente é atropelado, a gente vai e atropela também quem passar pela frente. Pode ser até alguém que nunca fez nada de ruim para nós. Mas aqui todo mundo me trata bem, todos me ajudaram, pagaram meu tratamento e os remédios sem descontar do salário. Então eu gosto de tentar ajudar quem precisa também."

Observo, sem lhe dizer isso, que a insistência de Manoel no tema do *ajudar e ser ajudado* não tem relação com o espírito de sacrifício que predomina nas falas de outros analisandos da Escola Florestan Fernandes. Para Manoel, "ajudar" os colegas – ou, às vezes, a analista – é uma forma ativa de retribuição pela solidariedade recebida quando era alcoólatra. E também, ao mesmo tempo, uma afirmação de sua potência fálica – Manoel deixou o lugar da criança que requer cuidado pelo de adulto cuidador. "Porque sou um homem...".

"Eu nunca tinha decidido nada na minha vida. Então uma coisa eu decidi, que foi de não beber nunca mais. Isso que eu decidi por mim mesmo eu mantenho."

Depois, lembrou-se de outras decisões que manteve, como a de reencontrar e rever a família (mas é claro que essa não exige dele o mesmo *desejo decidido* e persistente que investiu na luta para parar de beber).

A filha mais velha de Sebastiana está contra o namoro por causa da experiência com o antigo padrasto. "Ela tem que explicar pra menina que eu não sou igual ao antigo, que bebia e tratava mal a elas. Eu nem bebo nada, agora."

16 de junho

A ENFF estava com todos os quartos e salas ocupados. Atendi no fundo da lojinha, com a porta fechada. Quem passasse por ali não escutaria a conversa, mas a vitrine da lojinha permitia aos passantes ver quem estava lá dentro, falando comigo. Apesar disso, nenhum dos que vieram nesse dia demonstrou constrangimento em falar.

Manoel contou que teve "os mesmos pesadelos de sempre". Mas disse que agora já não ficava tão impressionado. "Estou tranquilo, doutora."

Depois confessou um fracasso recente que o deixara desanimado: acha que não vai conseguir aprender a ler. "Burro velho não aprende truque novo!" Riu, mas me parece evidente estar chateado. Embora todo bloqueio no aprendizado, sobretudo no que diz respeito à leitura e à escrita, possa ser entendido como efeito de uma inibição, não consegui recolher, daquilo que escutei de Manoel, nenhuma indicação de caminho por onde pudesse abordar essa inibição. Perto do final da sessão, fez um esforço para explicar ou justificar sua desistência de aprender a ler: Manoel me fez entender que, depois de um longo percurso na vida em que o impedimento de ler foi compensado por recursos característicos da cultura oral, ele não achava que valesse a pena o esforço para ingressar no país estrangeiro da palavra escrita.

10 de agosto

Iniciou a sessão sem os rodeios habituais. Contou o pesadelo que o assombrara na noite anterior: "Eu tinha bebido tanto que nem percebi que as pessoas trocaram este meu relógio aqui por um relógio quebrado, e ainda cheio de terra".

Perguntei o que ele podia pensar sobre esse sonho e me respondeu de pronto: "Deve ser que quando a gente bebe não tem mais noção das horas, nem que o dia virou noite, nem de nada". Essa associação foi suficiente para ele decifrar o sonho.

Depois de elaborar o pesadelo, pode dizer que está tudo tranquilo, como sempre.

Foi a uma festa em Jacareí e fez amizade com moças que gostaram dele e o convidaram para passar um domingo no sítio do pai delas. Aceitou, mas não fez nenhuma referência especial a alguma das moças a não ser a de amizade. Não disse a ele, mas pensei que Sebastiana tinha desaparecido de suas associações.

Manoel percebe que está diferente. Os outros estranham. Perguntei: "Você se estranha também?". Em vez de me responder, continuou a falar dos outros. Na escola sempre há quem o interpele quando está calado, pensativo. Eu disse: "Quem tem cabeça pensa!". Então ele me contou sobre a cena que o deixara pensativo: vira uma mulher muito bêbada em um bar, que lhe pedira para lhe pagar mais uma dose.

"Eu neguei isso pra ela. 'No seu estado, não te dou mais bebida.' Mas eu sei que já estive muito pior do que ela antigamente."

Os inventores do dispositivo dos Alcoólicos Anônimos estão certos. Manoel me faz ver que é preciso parar de beber todos os dias.

(Entre o final de agosto e o final de outubro não pude ir à escola.)

27 de outubro
Chegou calado, tristonho. Pensei se a reserva dele no início da sessão teria sido efeito do intervalo grande em que eu me ausentara, mas ele não mencionou o assunto. Começou contando notícias da família, mas sem novidades. A irmã ligara, vai tudo bem, mas neste ano não pretendia ir ao Ceará. Não disse por quê.

"Fora isso, está tudo normal. Mas ando meio pensativo."

Perguntei: "Pensando em quê?".

"Muitos sonhos, doutora. Todos de pesadelos. Nessa noite, tive um com gente que eu não conheço, me perseguindo. Vinha um rapaz me atormentar. Eu *furava* ele todo, na barriga, no braço, no pescoço. Ele morria, eu jogava num buraco e cobria de terra. Depois um fazendeiro me chamava para trabalhar e eu dizia a ele que não ia dar certo, porque eu *não podia dizer de onde vinha*. Aí, eu saía fugindo da polícia, pelo meio do gado."

Fazer furo e depois enterrar aquilo que, nele, não cessava de retornar. Só então, quem sabe, ele pudesse dizer de onde vinha?

Perguntei se o rapaz que ele matava não seria ele mesmo, dos tempos de bebedeira. Concordou: "Agora aquilo está morto e enterrado". Mas disse também que pensar nessas coisas o deixava muito triste. Passou um tempo em silêncio, cabisbaixo – uma liberdade que nunca havia tomado durante as sessões. Até então, quando não tinha o que dizer, apressava-se em me tranquilizar ("Está tudo certo" etc.) para encerrar a conversa e ir embora. Pela primeira vez, deixou cair o compromisso de me dar o que eu supostamente esperava. Ficou na dele sem se preocupar em me deixar em falta. Depois voltou a afirmar que não quer beber nunca mais ("morto e enterrado").

"Quando eu bebia, não pensava direito. Agora eu penso."

10 de novembro
Não veio e não avisou, pela primeira vez em um ano e meio de trabalho. Atendi outras pessoas e, ao sair da escola, encontrei-o dirigindo uma carreta com material de construção para a lavanderia da escola. Ele próprio ficou espantado por ter-se esquecido da sessão. Mas demonstrou que sentia necessidade de falar. Ali mesmo, perto do portão, disse que andava muito chateado e angustiado com seus pesadelos (por isso "desistiu" da sessão?).

"Tem gente que vem me matar, tem horas que eu mato gente. Eu sei que é sonho, doutora, mas na hora que eu acordo parece até que eu não sei. Parece que aquilo está acontecendo de verdade."

(Pensei se, depois de um ano e meio sem beber e quase dez meses sem medicação, estaria alucinando.)

Ele próprio expressou a possibilidade de ser internado outra vez. Não sabe se vai precisar; mas garantiu que, se precisar, irá, mesmo que não tenha a menor vontade de ir. Antes de ligar o motor da carreta outra vez, reafirmou que sabe que não quer beber nunca mais. E: "Tchau, doutora, que eu tenho que acabar este trabalho aqui".

24 de novembro

Depois da sessão improvisada da quinzena anterior, voltou a faltar. Dessa vez mandou o recado de que estava ocupado, cuidando de um vazamento de água. Liguei para o celular dele, a pretexto de oferecer outro horário, mas na verdade queria me certificar de que estava mesmo trabalhando. Queria ouvir a voz dele. Depois da última conversa, não confiei 100% de que não estivesse bêbado.

1º de dezembro

Estava um pouco melhor do que na ocasião de nossa última conversa, mas ainda muito triste porque tinha tido novamente um pesadelo em que alguém queria matá-lo. O que o assusta é que os sonhos agora são mais vivos do que antes. Parecem reais, e ele acorda na dúvida se foi sonho ou de fato aconteceu. Nesse sonho, novamente, reagiu contra o perseguidor. Teve um gesto violento (não disse qual) contra o rapaz que o ameaçava de morte. Estava muito impressionado e se disse deprimido porque no sonho tinha sentido, em si mesmo, uma violência muito grande.

"Eu já fiz muita besteira no tempo em que bebia, mas nunca fiz violência com ninguém."

Eu disse a ele que tinha sido em legítima defesa.

É importante mencionar o que só pude constatar muitas sessões depois: o pesadelo que parecia tão real, em que mais uma vez matava seu perseguidor – que se confundia com ele mesmo, pois no pesadelo anterior *ele também era morto pelo outro* –, encerrou a série de pesadelos em torno da ameaça da bebida. O tempo de elaboração do trauma encerrou-se depois desses dois sonhos tão angustiantes e tão vivos que a ele pareciam reais e me fizeram pensar na possibilidade de uma alucinação.

2008

15 de janeiro

Chegou pontual como antes, para a primeira sessão do dia. Não parecia angustiado como das últimas vezes. Contou que, desde o final do ano, não tinha tido mais nenhum pesadelo.

(Vale observar que, nos dois pesadelos de encerramento dessa fase, ele não se representava apenas como alguém ameaçado e perseguido, como em todos os anteriores. Abandonando a passividade anterior, nos últimos sonhos ele reagia – não se lembrava mais do que tinha feito, disse apenas que empurrava o cara que o molestava para baixo de um barranco, o que comprova a duplicação do lutar dele no sonho, pois em sonhos anteriores quem rolava barranco abaixo era ele próprio.)

Depois mudou de assunto, deu notícias do período de férias em que, afinal de contas, nem tentou viajar. Passou o Natal e o Ano-Novo com os poucos colegas que deram plantão na ENFF, saíram juntos, tomou guaraná, ficou bem. Nesse ponto, Manoel não mudou: responde à demanda sem opor resistências nem exigências. Querem que ele fique, ele fica.

"Depois o Geraldo [administrador da escola] organizou uma viagem pra praia no fim de semana, mas eu não queria ir. Sou eu quem cuido dos porquinhos, dos bichos todos daqui, não podia deixar isso pra trás [não podia deixar seu lugar de quem cuida, e também de quem ocupa a última escala de prioridades]. Mas daí arrumaram uma pessoa pra me substituir e eu fui."

Na festa de fim de ano, amigos da própria escola lhe ofereceram cerveja. Na primeira vez, recusou. Na segunda, pediu para que não insistissem, porque não podia beber. Na terceira, fez um discurso enfático e indignado, que repetiu para mim e infelizmente não anotei imediatamente. Quem quisesse manter a amizade com ele que não lhe oferecesse bebida. Na fala, que repetiu várias vezes durante a sessão, usou com muita propriedade o recurso de colocar-se no lugar do outro e fazer com que o outro se coloque no dele – eu não te julgo, você não me julga, eu não te prejudico, você não tente me prejudicar, eu te respeito, você me respeite etc. Não ameaçara os que o importunavam com nada além da possibilidade de perder a consideração por eles.

Demonstrou grande prazer em me contar repetidamente, quase com as mesmas palavras e sempre com a mesma ênfase, o que falou para impor respeito aos colegas provocadores. A cada vez, terminava sua cena com ar de triunfo. Mostrou que sabe ficar bravo em situações extremas. E também experimentou o prazer de uma repetição de outra ordem: não no corpo, mas no ato da fala.

26 de janeiro
Atrasou-se. Ao chegar, explicou que precisou tomar um banho e se arrumar antes da sessão porque estava muito sujo do trabalho na horta.

"Tudo tranquilo de verdade agora. Não tive nenhum pesadelo, já faz tempo."

Depois observou que tinha pesadelos sempre às vésperas das sessões, "pra poder contar pra senhora" (riu).

(Talvez por isso tenha faltado nas duas últimas, quando os pesadelos o assustaram demais.)

Ele mesmo observou que se lembrava de não ter tido mais pesadelos desde aquele em que sonhou matar o seu perseguidor.

Justifica nunca mais ter procurado a família: "Perdi o papelzinho em que eu tinha anotado o telefone deles". Aquilo parecia de uma extrema passividade – afinal, ele sabia agora como se comunicar com a família por meio da rádio – podia ser também uma boa desculpa para afastá-lo do conflito em relação à demanda da madrasta e da irmã. Ele, que sempre responde positivamente às demandas porque para ele "tanto faz, qualquer coisa está bem", não sabe dizer não à demanda de voltar para o Ceará, à qual parece que realmente não quer ceder.

"Aqui é minha família também. Eu me sinto muito bem aqui porque todos cuidam de mim e se preocupam comigo, como se fossem parentes."

Contou que nos serviços anteriores (ao ingresso no MST), quando ele adoecia ou se machucava no trabalho, os dias parados eram descontados. "Aqui o pessoal não quer só o meu trabalho, eles se preocupam comigo todo, não só com o meu serviço."

Terminou dizendo que, "no presente, estou muito bom", mas afirmou que nunca vai deixar de vir às sessões.

22 de fevereiro
Dispensou o ritual do "tudo bem" porque tinha acabado de receber uma notícia muito ruim: um dos irmãos, de 25 anos, fora assassinado em Iguatu.

"Um dia, na saída do bar, roubaram os documentos dele e ficaram usando os cartões e o nome dele para comprar coisas e fazer uma porção de dívidas. Ele conhecia os camaradas e ficou cobrando os documentos de volta. Noutra noite, ele foi no mesmo bar e um dos bandidos chamou ele e falou: 'Olha aqui seu documento de volta que você queria', tirou uma navalha e cortou a garganta dele. Meu irmão morreu na hora."

Os assassinos foram presos, mas Manoel teme que sejam soltos em breve. Escutei dele o mesmo juramento que me fizera Adão, dois anos antes[6]: vingar a morte do irmão. "Agora vou voltar lá e matar o rapaz." Em seguida, começou a remoer o remorso por não ter aconselhado o irmão a não andar nos bares. (A experiência o autorizava a isso.) Tentou avaliar que chances teria tido de evitar a tragédia e concluiu que, mesmo com seus conselhos, não poderia ter impedido o que aconteceu, principalmente porque não estava lá. Daí seu dever moral de voltar e fazer justiça.

Questionei seu projeto de reparação, sem insistir muito porque no momento o mais importante era que ele tivesse a oportunidade de falar. Falou por muito tempo e repetiu várias vezes que "quem vem ao mundo para ser ruim e matar os outros não tem conserto, um dia tem que morrer".

3 de março

Começou a sessão como sempre, sem tocar na morte do irmão. Contou que seu trabalho na escola agora é outro: cuidar do jardim. Se gosta: "O que eu faço gosto de fazer bem-feito. Daí eu fico gostando da coisa também". Retomou o bordão sobre a escola, gosta daqui, gostam dele, e tal. Depois de algum tempo, eu mesma perguntei se ele não pensava mais na morte do irmão. Respondeu que sim, tinha ligado "pra casa" e falado com a irmã mais velha.

"O pai é que está mais triste, deprimido, nem quer sair de casa pra falar comigo no orelhão. Vou ligar sábado no celular de outro irmão que trabalha durante a semana, pra ver se falo com o pai."

Não voltou a mencionar seu juramento de justiçar o assassino, que está preso ainda, junto com o comparsa.

"É difícil saber como é esse mundo. O mundo – o mundo é nós mesmos, não é, doutora?"

A seguir, contou o caso de um sujeito fortão, o "finado Jarbas, que a vida toda batia num companheiro dele mais fraco, humilhava ele, fazia ele obedecer o que ele mandava e tal, até que um dia ninguém esperava que o pequeno deu uma facada no coração do maior. Ele nem ficou muito tempo preso porque o pessoal compreendeu a razão dele".

---

[6] Ver "Adão, o bom filho", à p. 184 deste volume.

Planeja visitar a família, mas só no final do ano, quando terá férias. "Meu pai agora diz: 'Um filho meu morreu, o outro sumiu no mundo' – que sou eu. Mas eu não sumi, eu tô na minha vida. A vida da gente é em qualquer lugar que a gente tá." Não considera que, por estar em São Paulo, tenha abandonado a família.

Afirmou, com evidente prazer, como gosta de pertencer àquele lugar. A ENFF: não só o MST nem só a escola, mas a região, o bairro onde todos o conhecem e cumprimentam quando ele passa, e agora ninguém mais oferece bebida – "o dono do bar outro dia até me pagou um refrigerante".

Ele, que alinhavou sua novela familiar desde o lugar da criança escolhida e disputada por três mães diferentes – e criada pela quarta (a segunda mulher do pai) –, demonstra muita alegria ao afirmar que escolheu agora, como seu, o lugar a que pertence. Aos poucos, a ideia de que deveria voltar para a casa do pai porque é isso o que esperam dele cede lugar à convicção de que é possível ser bom filho sem ter de voltar a viver, como um menino, na casa paterna.

20 de março
"Tá tudo bem, tudo tranquilo, doutora…"

Depois me disse que se esqueceu de telefonar para a irmã no sábado. Só tinha falado com ela no final de semana anterior, e com o pai também, um pouco. O assassino do irmão continua preso, mas o outro, que é menor de idade, logo vai sair.

"Parece que eu nem acredito ainda no que aconteceu. Só se eu estivesse lá e visse ele morto é que eu ia acreditar."

Não teve mais pesadelos desde o último que me contou, quando sonhou que era *forçado a matar* (versão que indica alguma elaboração do sonho) alguém que o perseguia. "Matei, no sonho, porque tive que matar. Eu não quero nunca precisar matar ninguém."

Sugeri que, depois de ter eliminado de uma vez "a marvada" (cachaça), não precisava mais ter aqueles sonhos de perseguição. Passou o resto da sessão aperfeiçoando formulações a respeito do tempo em que bebia.

"Eu era para estar morto, só não morri porque Deus não quis. […] Eu, quando vejo alguém bêbado, puxando briga, eu fico traumatizado. […] Eu agora não quero nem bebida fraca, porque não existe essa diferença de bebida fraca e forte, quem bebe de uma bebe da outra também. […] O pessoal agora me respeita. Ninguém mais me oferece nada, não ficam mais me provocando pra eu beber porque já sabem que eu não gosto dessas brincadeiras."

(Passei um mês sem ir à ENFF. Tentei na quinzena do dia 11 de abril, mas uma grande atividade na escola impediria que as pessoas pudessem comparecer à análise. Ao menos assim pensava a nova organizadora da agenda.)

19 de abril
Manoel apareceu muito mais bem-cuidado do que de costume. Mais magro e, novidade: usando óculos. Andava com dores de cabeça e o médico indicara que usasse óculos. Pareceu mais adulto, assim.

"Já estou começando a encontrar uma namorada nova. Na rodoviária de Jacareí, fui tomar um refrigerante na padaria lá." Nesse ponto fez um longo rodeio: "As pessoas me perguntam por que eu não bebo uma cerveja e eu conto a minha história pra elas, não tenho vergonha de contar. Eu não julgo quem bebe e, se vier um cara todo tremendo pedir para eu pagar uma pinga, eu até pago porque sei como é. Não julgo mal ele beber, porque ele não me condena de eu não beber, assim em todo lugar eu faço amigos". Depois retomou o relato do encontro com a moça, dois anos mais velha que ele. Começaram a conversa depois do incidente com o bêbado na padaria da rodoviária. Assim como nas outras duas vezes anteriores, Manoel me conta que o que lhe comove, nas mulheres que conhece, é a história de uma vida sofrida. "Ela contou tudo o que ela sofreu, eu também contei o que eu sofri. Nem reparei muito se ela é bonita. Acho que não é nem bonita nem feia. Como diz o povo, pra mim tá de bom tamanho. Eu disse a ela: 'Você sofreu por causa dos homens, eu sofri com uma mulher. Mas eu não vou tirar todas as mulheres pela que eu conheci antes, nem você deve tirar todos os homens por aquele que te fez sofrer. Vamos tentar pra ver como é que fica'."

Conversou por telefone com a família. Estão mais calmos porque os dois assassinos do irmão continuam presos. Os outros dois irmãos abriram um bar! Falou muito com eles, deu vários conselhos para não se envolverem em brigas com bêbados, para servir o que pedirem, "porque eu já fui assim e sei como é. Se o bêbado fizer alguma coisa errada, não digam nada na hora, porque não adianta. Só se um dia ele voltar lá, sóbrio, vocês dizem; dizer quando o cara tá com a cara cheia, ele não vai lembrar e ainda pode dar briga".

Repetiu seu "mantra" particular: que não quer beber nunca mais. "Se essa água desse copo aqui tivesse um pingo de álcool, eu não bebia ele nem se estivesse morrendo de sede. Quando eu lembro o que passei, dou graças a Deus de ter entrado no MST."

Quando parou para tomar fôlego, perguntei como andavam os sonhos e os pesadelos.

"Doutora, não tive mais pesadelos. Agora quando eu durmo não fico mais rico, não fico mais pobre do que eu sou. Não maltrato ninguém, nem ninguém vem atrás de mim pra me matar."

O último pesadelo de perseguição, portanto, foi o relatado no dia 11 de dezembro do ano anterior.

"Eu já podia ter morrido muito antes do meu irmão, mas foi ele que morreu. A gente está nas mãos de Deus."

Perguntei por que ele se dizia nas mãos de Deus se eu sabia que ele é que tinha tomado sua vida nas mãos e decidido se curar, aceitara a internação oferecida, aguentara os meses que "pareceram anos", viera fazer análise. Ele não se lembrava, ou não sabia, que fora o primeiro a se apresentar para análise em 2006. Depois se assombrou: dois anos de tratamento, já! Então concordou que de fato tinha trabalhado muito pela sua cura, nunca faltava na análise, pensava bem em tudo o que lhe acontecia para me contar.

Despediu-se: "Quando a senhora volta? Até daqui a quinze dias, então".

3 de maio

Avisou a Elaine, secretária da ENFF, que não poderia vir. Encontrei-o, por acaso, na cozinha. Muito arrumado e perfumado. Ficou um pouco surpreso com o encontro e me explicou que precisava resolver "uns assuntos" em Jacareí. Estava sério, com um jeito mais adulto do que seu estilo habitual de bom menino brincalhão.

Passou dois meses sem comparecer às sessões, sempre mandando me avisar sobre supostas impossibilidades em razão de obrigações na ENFF, o que nunca acontecera até então.

4 de julho

Entrou na sala e me cumprimentou, como sempre. A seguir noticiou: "Doutora, eu já estou curado. Minha mente está livre. Não vou mais dizer que estou me recuperando, estou curado mesmo. 'Recuperando' é assim: tinha cinco doenças, ficaram só três – então ainda estou me recuperando. Agora eu não tenho mais nada daquelas coisas, mesmo".

Sem que eu perguntasse, afirmou também que estava tranquilo com as mulheres. Quando um projeto não dá certo, é porque não é pra continuar correndo atrás. "Antes eu ficava doido por uma mulher maluca pra fazer par com outro maluco que era eu."

Pediu alta. "Se a senhora concordar, acho que vou ficar uns tempos sem vir. Se aparecer outro problema [não aventou a hipótese de uma recaída no mesmo], eu volto."

Foi minha primeira alta pra valer no MST.

23 de agosto

Encontrei-o por acaso, a caminho da horta, quando passeava um pouco num intervalo entre consultas. Estava mais magro, sempre com os óculos novos, o cabelo um pouco mais crescido (costumava rapar a cabeça). Quase não o reconheci. Perdeu o antigo corpo gordinho, de menino grande. Um homem.

Pergunto como vai e me conta, primeiro, que está namorando "de verdade". A moça se chama Ângela, mora na vila (Guararema) e cuida bem dele, está até ajudando para que ele faça uma dieta.

Só depois disso falou da notícia triste: a morte súbita do pai, aos 68 anos, do coração. A irmã não conseguira avisá-lo [...] e ele só soubera ao ligar para a família no Dia dos Pais!

"Mas pelo menos uma coisa eu disse pra Deus: no tempo em que eu andava bêbado, caído nas estradas, meu pai não me viu assim. Eu fiquei longe dele. Nunca dei a ele o desgosto de passar na estrada, me ver caído e ter que falar pra alguém: 'Aquele caído lá é meu filho'. Só dei a tristeza de vir para longe dele, mas isso é normal. E, quando eu voltei pra encontrar com a família, eles viram que eu estava bem. Dei a ele essa alegria."

2009

14 de fevereiro

Encontrei-o ao chegar à escola e convidei-o a vir, se quisesse, já que não conversáramos mais desde a morte do pai dele.

Veio. Firmeza.

Mas falou mais sobre a morte do irmão do que sobre a do pai. Um dos dois assassinos do irmão, menor de idade, já está solto. "O amigo do meu irmão 'furou ele' para se vingar, mas não matou."

A família insiste para que ele volte a viver em Iguatu. "Não vou. Agora eu já sei que não quero viver lá. Eu mando ajuda, vou visitar quando puder [no momento não tem dinheiro porque entrou num consórcio para comprar uma moto]. Mas eu ir lá não vai trazer meu pai e meu irmão de volta."

Depois me contou três sonhos que tivera nos meses depois do final da análise. No primeiro, estava bêbado de cachaça, mas no próprio sonho sentia um grande arrependimento. No segundo, tinha caído dentro de um fogo (apontei o duplo sentido da palavra, pois "estar de fogo" é uma forma de dizer que "está bêbado"). "Passei o dia seguinte desse sonho todo assado!" (riu). No terceiro, tomava uma caipirinha *fraca*, sob o olhar da Gorete (a dirigente da escola que o encaminhara para a análise em 2006), que não o interditava. "Mas isso foram só sonhos, eu nunca mais bebi nem quero beber nada. Parece essas pessoas que apanhavam do pai e depois sonham sempre com as surras, mas não querem dizer que estão querendo apanhar outra vez."

Por fim, voltou a falar da família e conseguiu esclarecer por que não quer voltar a viver lá: "Eles gostam de viver todos lá, todos perto um do outro, em casas vizinhas".

"Como aqui na escola."

"É, mas aqui ninguém é parente [riu]. Eles já têm o futuro deles lá. Eu não. Eu gosto é do mundo."

Apêndice 1
Como entender o interesse pela psicanálise em um movimento social de origem católica e rural?

Escutei mais de uma vez essa pergunta, vinda de conhecidos e amigos que se espantavam com o fato de que, na escola do Movimento dos Trabalhadores Rurais sem Terra, houvesse espaço para a prática da psicanálise. Em outros agrupamentos de esquerda – é verdade que décadas atrás –, já ouvira críticas à psicanálise como uma "prática burguesa" (ou "pequeno-burguesa") que privilegia o indivíduo em vez do grupo; estava habituada também a manifestações de repúdio por parte de pessoas de esquerda, que não conseguiam compreender a importância central da sexualidade na teoria freudiana, no que se refere à gênese do sujeito do inconsciente. Por estranho que possa parecer, tais objeções nunca partiram, nos anos recentes, dos meus conhecidos de dentro do MST. Não sei explicar como se originou o respeito pela psicanálise (e, em alguns casos, a adesão a ela) que encontrei dentro da ENFF. Contento-me em anotar algumas hipóteses, não particularmente minhas, e sim aventadas ao longo dessas mesmas conversas com aqueles que, como eu, se espantaram com o encontro improvável entre a psicanálise e o MST.

Em primeiro lugar, suponho que o interesse geral pela psicanálise como uma teoria importante do século XX (independentemente, até certo ponto, de sua prática clínica) tenha a ver com a atitude decidida, entre todos os membros do MST – dos mais humildes militantes aos líderes históricos, formados pela Teologia da Libertação –, de "transpor a cerca da ignorância". O conhecimento é um valor prioritário no movimento, a tal ponto que, em minha clínica, as reivindicações de igualdade e os protestos contra as sutis discriminações praticadas não se referiam nunca à (modesta) ajuda de custo recebida pela maioria, mas à maior ou menor possibilidade de participar dos cursos oferecidos pela escola. A valorização do conhecimento escolar vem acompanhada do interesse generalizado das mais diversas pessoas com quem conversei no MST, dentro e fora da clínica, pela literatura e pela poesia, por filmes, pelo conhecimento em geral. O aspecto progressista da psicanálise como dispositivo de emancipação do indivíduo (não sei se cabe usar, para entender o ponto de vista leigo, a palavra *sujeito*) parece lhes interessar muito, não só no sentido clínico como também no do estudo de alguns textos importantes de Freud, a começar pela "Psicologia das massas e análise do eu", a que me referi na Introdução.

Na festa de comemoração dos cinco anos da ENFF, fui incluída na longa lista de fundadores, colaboradores e trabalhadores da escola convidados a falar. Quis agradecer a acolhida da clínica psicanalítica dentro da escola e confessei minha grata surpresa ao perceber a aceitação da psicanálise pelos militantes. Não fui compreendida. Vários presentes vieram me perguntar mais tarde, surpresos e um pouco ofendidos, o porquê da minha surpresa. Então eu esperava que eles não entendessem a importância da psicanálise para a militância política?

É claro que a aceitação de uma clínica psicanalítica num espaço do MST não significa que, entre eles, não existam resistências a se submeter a uma análise. Estas se manifestaram, acima de tudo, da parte dos dirigentes. Ao contrário do que aconteceu entre os trabalhadores e estudantes da ENFF, pouquíssimos dirigentes que se apresentaram para análise permaneceram mais do que algumas sessões. Outros me pediram atendimento e nunca apareceram. Medo de comprometer a imagem.

Outro aspecto interessante que pode explicar o interesse pela psicanálise como método investigativo foi sugerido por Roberto Schwarz, que também participou do curso organizado por Paulo Arantes sobre a realidade brasileira: "Eles não têm medo de fazer perguntas" (inclusive a si próprios). Mesmo nas aulas, diante dos supostos detentores do saber, não apresentam as típicas inibições de quem não domina o assunto. Vão direto ao ponto e não abandonam a postura investigativa até estarem convencidos de uma abordagem nova, ou até convencerem o interlocutor.

Talvez essa postura investigativa e pouco inibida tenha a ver com a profunda convicção a respeito da igualdade de direitos entre todas as pessoas. A inclusão em um movimento do porte do MST, a decisão de transpor a cerca da ignorância, o valor conferido ao militante por sua coragem e disposição de luta, tudo isso proporciona um sentimento de dignidade que faz com que eles não se intimidem diante dos doutores que se oferecem para dar aulas, organizar cursos ou… conduzir análises. Foi essa mesma convicção a respeito do valor de sua práxis que me permitiu resolver minha indagação sobre qual seria a moeda de troca a mediar minha relação com os analisandos, de modo a impedir que se instalasse um sentimento de dívida, de gratidão ou mesmo de humilhação pela falta de um pagamento em dinheiro – que teria excluído mais da metade das pessoas que atendi ao longo daqueles cinco anos. A moeda em que me pagavam, como logo ficou claro, era a militância. Atuar junto ao MST me permitia incluir minha prática clínica entre os dispositivos do movimento; a transferência de valor estaria, dessa forma, equilibrada entre o que eu lhes oferecia e o que ganhava ao trabalhar na escola. Encontramos a moeda capaz de propiciar a equivalência simbólica entre duas práticas que *não têm preço*.

Acrescento que os membros do MST, apesar das inegáveis conquistas obtidas nos 25 anos de sua existência, estão acostumados a se engajar em processos de transformação de longo, longo prazo. Vivem na temporalidade extensa dos longos ciclos históricos, embora na vida da maioria a própria entrada no MST tenha trazido, em curto prazo, mudanças significativas na vida. Se o projeto de "reforma agrária com justiça social e soberania popular" não se realizar para toda a sociedade brasileira, como se pretende, já se realizou em grande parte para os quase 2 milhões de pessoas mobilizadas em torno do movimento – entre acampados, assentados, colaboradores de todos os tipos, professores, profissionais da segunda ou terceira geração de agricultores que se formaram em profissões técnicas ou superiores para apoiar o movimento. Assim, a "paciência histórica" joga a favor da psicanálise. "A gente sabe que o tratamento funciona a longo prazo", me disse outro paciente que também se tratou de alcoolismo (a manifestação de mal-estar predominante entre os pobres, no Brasil). Tal disposição para enfrentar processos de longo prazo, que afinal abarcam a escolha de vida que fizeram, talvez seja facilitada pelo fato de que, ao ingressar no MST, o sujeito já se instale num lugar que é *dele*. Não está mais premido nem pela urgência de salvar a pele (ninguém morre de fome dentro do MST), nem pela pressa de inventar sentido para uma vida insignificante e vazia. Uma vez que o principal está assentado, é mais suportável esperar ativamente, anos a fio, pelo que se pretende construir. Vale acrescentar ainda que a forma de sociabilidade que predomina em todos os agrupamentos do movimento é a da vida comunitária. O indivíduo, nesse caso, não sente a premência do tempo que passa e que o força a construir com urgência alguma coisa pela qual será lembrado pelas próximas gerações. A pertinência aos grupos que se articulam em cadeia, e também em círculos concêntricos, cada um ligado pelo aro invisível da luta comum ao círculo maior, garante a todos os membros do MST a dignidade de não ser esquecido, de ter seu nome marcado numa história que ultrapassa a existência individual.

Um episódio interessante foi o de um aluno que pediu atendimento, no meu primeiro mês de permanência na escola. Era um rapaz de 22 anos que me procurara perto do fim do curso que fora fazer. Desse modo, pôde fazer apenas duas ou três sessões comigo e voltou para sua região, no sertão da Bahia. No ano seguinte, vi seu nome outra vez entre os inscritos na minha agenda do dia. Chegou no horário, cumprimentou-me como se tivéssemos nos encontrado na véspera e começou a sessão: "Sabe, aquilo que nós conversamos da última vez – eu estive pensando...".

No meu caso, no que diz respeito ao lugar do psicanalista numa grande organização como essa, posso afirmar que o amparo à pessoa, como tantas vezes repetiu Manoel, facilitou enormemente a escuta do inconsciente. Já ouvi muitos colegas que se propuseram a oferecer atendimento psicanalítico a populações em situação de risco e afirmo que não me percebo capaz disso. É verdade que os militantes do MST se colocam regularmente em situações de risco – a luta pela terra, contra os abusos do latifúndio e das grandes ocupações ilegais no Brasil, está longe de ser uma disputa civilizada. Muitos já morreram e talvez ainda sejam mortos ao enfrentar as forças organizadas dos grandes proprietários. Mas, no geral, o movimento oferece amparo suficiente para que o sujeito possa falar de questões subjetivas sem se queixar de fome, desabrigo, do risco de ver os filhos envolvidos com drogas e criminalidade, como acontece nas periferias das grandes cidades brasileiras. Quem se alistou no MST já se pôs a salvo dos riscos cotidianos que ameaçam os moradores das favelas do país (de onde muitos deles vieram, por sinal). Assim, posso escutar o sujeito sem me angustiar com a precariedade da vida da pessoa.

Por outro lado, pelo menos nos casos que atendi, vejo que o sentido comunitário da participação no movimento não é alienante como eu temia – isto é, não mais do que todas as formas imaginárias de construção de identidade que a sociedade oferece. Durante as sessões, não me lembro de ter escutado palavras de ordem ou citações de Che Guevara para encobrir ou desqualificar as comezinhas manifestações da singularidade de cada um. É claro que formas do discurso do Mestre estão presentes na estrutura do sujeito neurótico, aqui como em toda parte. Se esses significantes são extraídos da publicidade (beleza, sucesso, dinheiro, sexo, marcas de mercadorias) ou do discurso militante (luta, sacrifício, heróis, coragem, "revolução"), cabe ao psicanalista, de um lado ou de outro, tentar furar a consistência imaginária que sustenta as grandes convicções a partir das quais os sujeitos se oferecem, como eternos escravos à procura de um Senhor a quem querem fazer gozar.

Mas talvez, pelo contrário, aqueles que se interessaram pelo percurso da psicanálise tenham começado a questionar o excesso de exigência de participação em todas as atividades coletivas, imposto pelo menos pelo cotidiano da escola. Escutei desde pessoas que questionavam o aspecto igrejeiro da "pertença" ao movimento, como se fosse uma religião que o sujeito não pode abandonar ao custo de se tornar "pecador", até os que não queriam participar das cerimônias da "mística" que inaugura cada dia de trabalho como uma espécie de "feitio de oração" para motivar o grupo. Ouvi os que se queixavam duramente do excesso de trabalho e da falta de tempo para a vida individual, impostos pelo movimento, e os que se dispunham a enfrentar as complicadas malhas dos pequenos poderes internos para escolher em que região queriam militar e que tarefas preferiam fazer, em vez de aceitar as transferências de região e de trabalho impostas pela logística gigantesca do movimento. E escutei de um líder de terceiro escalão de um estado nordestino, que havia saído do movimento e depois voltado: "O MST é um organismo vivo. As coisas mudam o tempo todo, pessoas brigam e voltam, mudam de uma ponta pra outra do Brasil e encontram novos jeitos de colaborar – o MST só sobrevive porque nele nada fica parado, nunca".

Entre os que frequentam a ENFF – não só os alunos, já acostumados ao estudo, mas também os funcionários menos graduados, como é o caso de Manoel –, encontrei boa disponibilidade para a reflexão.

Vale investigar, enfim, se o sentido de vida coletiva, luta coletiva, ideais compartilhados, ou seja, a adesão a tudo o que ultrapassa a dimensão das escolhas estritamente individuais de vida e da condução do destino (embora, num primeiro tempo, ingressar no movimento tenha sido sempre uma escolha de destino individual), não poupa os sujeitos de pelo menos dois fatores que oferecem consistência imaginária ao sintoma neurótico.

Primeiro, a culpa inconsciente por desconhecer a moeda capaz de pagar a dívida simbólica, que na modernidade também se tornou inconsciente[1]. A militância cobra uma moeda de que os sujeitos dispõem e explicita a dívida para com a coletividade a que o sujeito pertence.

Em segundo lutar, ao contrário da condição contemporânea, de inconsistência das formações imaginárias que sustentam a lei – de tal forma que o neurótico hoje se angustia mais por não ser capaz de gozar do que lhe é exigido do que por suas fantasias de superar o pai –, num movimento da dimensão do MST, o lugar da metáfora paterna está bem simbolizado. Os militantes sabem (ver o caso de Adão, à p. 184) quais as condições exigidas para o pertencimento ao movimento e em que moeda as dívidas devem ser saldadas.

Por outro lado, a prevalência das formas comunitárias ou simplesmente grupais no dia a dia dos militantes talvez explique por que preferiram a psicanálise à oferta, feita por outra colega, de terapias de grupo. "Aqui, tudo é em grupo. Do que a gente precisa é de algum lugar pra ficar sozinho, de alguma atividade em que se possa ficar sozinho. Nas terapias estou falando com você, mas o que eu falo aqui é como se eu estivesse sozinha. É um lugar só pra mim."

---

[1] Ver meu livro *Sobre ética e psicanálise*, capítulo 1: "O homem moderno, o desamparo e o apelo a uma nova ética" (São Paulo, Companhia das Letras, 2002).

Apêndice 2
Psicanálise ou psicoterapia? Efeitos da descoberta do inconsciente em solo virgem

O psicanalista que trabalha em uma grande cidade e atende pessoas de uma cultura mais ou menos próxima à dele está acostumado a enfrentar, no início de cada nova análise, uma aparente facilidade que afinal se revela mais como um empecilho que o *eu* (*moi*) opõe contra a manifestação das forças do *isso*. Aqui, na cidade, a psicanálise não é novidade. Pertence às formações da cultura, tanto para aqueles que a estudam e admiram quanto para os que resistem a ela, mas, um dia ou outro, acabam por chegar ao consultório de um psicanalista à procura de ajuda. O efeito de mais de um século de recepção *intelectual* da psicanálise é, paradoxalmente, um efeito *neutralizador* de sua potência. Isso exige do analista uma dose crescente de improvisação, de criatividade e de humor, a fim de ainda surpreender o analisando diante de seu próprio dito e, com isso, abrir pequenos furos no dique das ideias feitas que sustentam o sintoma e as resistências todas a ele associadas. Fiz referência a essa dificuldade na introdução de meu livro *Sobre ética e psicanálise*.

Raramente, em São Paulo, tive a alegria de poder observar os efeitos espantosos do dispositivo psicanalítico em território virgem. A cada três, quatro anos, de todos os postulantes a análise que nos são encaminhados, chega-nos um que, indicado pelo amigo do amigo do amigo, não sabe de que se trata. Não que o percurso se torne mais fácil. Menos ainda que se torne mais óbvio. Mas a entrada em análise, essa sim, é facilitada pelo efeito surpresa do dispositivo sobre os inexperientes. Desde as primeiras entrevistas, o analista pode observar o pretendente incauto abrir-se para esse processo de investigação que ainda hoje é bizarro (e nós, analistas, não pretendemos que deixe de ser percebido como tal), como aqueles brinquedos infantis que, espremidos numa embalagem plástica, se abrem como flores, aves gigantes, dinossauros, quando mergulhados em um copo d'água.

Na ENFF, as pessoas em geral se apresentavam para a primeira entrevista a partir de sua experiência em postos de saúde e ambulatórios públicos. Ou seja: relatavam brevemente seus padecimentos – "Estou deprimido"; "Sou muito inseguro"; "Não consigo dormir à noite" – e esperavam de mim um conselho ou uma prescrição, mesmo sabendo que eu não estava apta a receitar medicamentos. Alguns chegavam prontos, como o caso de V., um homem de 55 anos que, na primeira entrevista, assim que me disse "Bom dia", sintetizou numa curta frase a razão de sua busca por um tratamento: "Eu ainda não fui feliz".

A alguns eu me via obrigada a explicar como funcionava o trabalho (como Manoel). Em outros casos, tinha a sorte de fisgar, na queixa inicial, alguma palavra ou formulação que inspirasse as primeiras perguntas tolas, dessas que movimentam o trabalho analítico em qualquer consultório.

Muitos militantes estavam de passagem. Trabalhei com pessoas que foram deslocadas para outras regiões no meio do processo analítico e também com aquelas que sabiam, de antemão, ter apenas três ou quatro semanas para se consultar comigo. Outras, como o caso de J., que relatei na p. 162, voltavam um ano depois e continuavam suas elaborações como se tivessem se despedido dois dias antes.

Em todo caso, a brevidade da permanência de muitos de meus analisandos na ENFF coloca forçosamente a pergunta: o efeito obtido em tão pouco tempo permitiria qualificar o trabalho como analítico ou o máximo que se pode obter são as chamadas "psicoterapias breves"?

Arrisco afirmar que a diferença entre as duas práticas não é (apenas) dada pelo tempo do percurso, mas principalmente pelo que se teve ocasião de afetar, em x ou y sessões, no tocante à posição do sujeito.

Relato a seguir dois casos, um breve e um brevíssimo, que talvez nos ajudem a entender a diferença entre o efeito analítico e o efeito terapêutico numa clínica que sofre dessas limitações.

Adão, o bom filho

Inscreveu-se por vontade própria, logo em meu primeiro dia de trabalho. Não foi encaminhado por ninguém: como trabalhava na portaria da escola, quando cheguei me perguntou quem eu era e por quem procurava. Quando afirmei que era a "psicóloga" e perguntei se haveria uma sala para mim, logo pediu que o incluísse na agenda.

Um rapaz jovem, nascido e criado na periferia de uma cidade no estado de Santa Catarina. Expressou-se com amargura. De início, queixou-se de traições por parte de amigos no acampamento em que morava antes de vir para a ENFF. Reclamou de brigas, de bebedeiras, de mau comportamento por parte dos outros, que aparentemente implicavam com ele porque ele era "muito certinho" (como, de fato, também pareceu a mim).

Poucos minutos depois, chegou ao ponto que o trouxera até mim: "Minha maior tristeza é que minha mãe morreu no mês passado". "Como foi isso?" "Foi assassinada dentro da casa dela, pelo próprio filho, meu irmão. Ele é drogado e roubava o dinheiro da aposentadoria da mãe pra comprar drogas. Minha vizinha disse que da última vez ela escondeu o dinheiro e ele foi pra cima. Apertou o pescoço dela: 'Morre, desgraçada, pra não me encher mais o saco!'." O irmão foi preso, mas uma sobrinha pegou o dinheiro da avó para pagar a fiança do tio.

Adão descreveu a sequência dessa tragédia colocando-se na mesma posição sintomática do injustiçado: quando telefonou à família insistindo que o assassino fosse preso, "todos ficaram contra mim, menos a irmã mais velha".

Muito triste, muito amargurado, ele me contou que "jurou de morte" aquele irmão. Pensei que, se estivesse certo de sua decisão, não teria vindo me procurar. Perguntei um pouco mais sobre a família e ele me disse apenas que era "o único filho bom", muito querido pela mãe – o que faz pensar no lugar em que o neurótico obsessivo se coloca ao construir sua novela familiar, mas não quis tirar conclusões apressadas porque a tragédia real com frequência tem efeitos que encobrem a estrutura.

Perguntei a ele se acaso tinha me procurado para repensar sua decisão, e ele negou categoricamente. "Palavra dada [perante ele mesmo] não volta atrás. Meu irmão não merece viver."

Precisava ganhar algum tempo para a chance, ainda que remota, de continuação de uma análise. Disse a ele que não estava defendendo o irmão: "Quem não merece acabar com a própria vida é você". Seria preso, sem dinheiro para a fiança que o irmão conseguira. Mas tinha de fazer aquilo pela memória da mãe.

"E por que você acha que sua mãe gostaria que o 'único filho bom' virasse um assassino e passasse o resto da vida na cadeia? É isso o melhor que você pode fazer pela memória dela?"

Insistiu: "Quando decido uma coisa, não volto atrás. Eu não tenho mais nada nesta vida, por que não posso matar meu irmão?".

Repeti: "Se você foi o filho que deu alegrias à sua mãe, você tem muita coisa. Não estrague isso".

Na segunda sessão me trouxe fotos da mãe junto com ele, da mãe com o neto, e também de seus amigos de acampamento. "Os mesmos que o 'traíram'?" "Não, esses são os amigos bons." Ah, então ele também tem amigos bons. Não é sempre o excepcional em meio aos outros.

Depois voltou ao assunto do irmão. "No Brasil não tem lei, por isso ele está solto. Decidi que eu não vou atrás dele. Se ele não vier atrás de mim, não faço nada. Mas, se a gente se encontrar, eu mato ele."

Perguntei o que aconteceria com ele dentro do MST se matasse o irmão.

"Ah, eles me expulsariam." Refletiu um pouco. "No Brasil não tem lei, mas no movimento tem."

Terceira sessão: chegou mais leve, sorridente.

"Estou bem. Conheci uma moça que veio visitar aqui e conversei com ela no dia de folga, o dia todo. Ela também me apoiou, me deu conselhos..."

Disse que a moça era mais velha que ele (maternal?), uma pesquisadora que passou dois dias na ENFF, ficaram a maior parte do tempo juntos. Namoraram? Não.

Não pareceu interessado em continuar o trabalho, embora estivesse muito afetivo comigo. Disse que não tinha mais nada a falar e, se precisasse, me procuraria.

Insisti ainda uma última vez, perguntei se ele nunca sonhava nada que lhe parecesse interessante.

"Sonhei, sim, outro dia. Sonhei com o meu irmão."

(Uau. Como se não fosse nada, desafetado assim.) Pedi que contasse o sonho.

"Não foi nada, ele vinha, eu passava por ele, não falava com ele nem ele comigo, ponto."

Lembrei-me de um samba que diz que o pior castigo é o desprezo. Desistiu da vingança prometida. Despediu-se com afeto e nunca mais veio me procurar. Sempre que o encontrava, na portaria da escola, e perguntava se ele estava bem, me respondia da mesma maneira: "Melhor estraga".

Não tenho dúvidas de que o máximo que pude obter nessas três conversas foi um efeito terapêutico. É claro que minha pergunta sobre o movimento permitiu a Adão simbolizar a lei de outra forma e diferenciar a lei simbólica do sistema jurídico corrupto que permitira à sobrinha "comprar" a liberdade do irmão assassino. Mas nada, de sua posição de neurótico obsessivo, fora tocado nesses breves encontros.

Um dia eu almoçava sozinha, como sempre faço para manter um pouco de distância dos vários pacientes que estão no refeitório, e ele veio conversar comigo. Ele me trouxe de presente um doce de figos feito num assentamento. Disse que estava pensando em entrar numa "igreja dos crentes" (depois soube que aquilo tinha sido fogo de palha, influenciado por uma conversa com a cozinheira). Gosta de ler, estava sempre lendo, em seu posto solitário na portaria. Mandava livros a ele sempre que me lembrava disso.

Em 2008 saiu o assentamento para o qual estava inscrito e ele foi embora para Santa Catarina. Nunca mais vi Adão, o "filho bom".

Lupércio, o *enfant terrible*

Foi alguém da direção da escola que me pediu um "atendimento de emergência para um companheiro da brigada cultural" – a razão alegada para as "emergências" é sempre a mesma, alcoolismo. "Um companheiro excelente, faz um trabalho artístico de muito valor, toca violão, é poeta..." Alcoólatra? "Não é bem isso, ele não bebe assim, direto, todo dia. Mas, quando começa a beber, some pelo mundo afora, ninguém encontra ele dois, três dias, a gente tem medo do que pode acontecer." Afirmei, como sempre, que poderia conversar com ele na condição de que ele tivesse vontade de vir. E acrescentei a ressalva de que muito pouco poderia ser feito, já que o pedido (pedido ou prescrição?) de análise chegara ao final da estadia de Lupércio na ENFF.

Mesmo assim, ele veio. Desinibido, simpático. 45 anos. Seu estilo indicava uma perfeita identificação às tarefas de coordenador do setor cultural: longos cabelos rastafári, calças de capoeira, camiseta estampada com a foto de um cantor popular.

Sua "queixa", ou talvez lição de casa imposta pelo grupo, era exatamente a mesmo feita pela dirigente que o encaminhara a mim: bebedeiras incontroláveis, sumiços de casa, "a família fica toda alvoroçada atrás de mim e eu sumido no mundo".

A seguir emendou: "Eu mesmo não sei dizer por que tenho vontade de beber assim. Vim aqui pra entender qual é o meu problema. Minha vida é legal (mulher, duas filhas, ambiente familiar amoroso), meu trabalho no MST é legal, não preciso beber pra fazer música e poesia. Acho que eu bebo porque eu gosto. Só não queria deixar todo mundo tão preocupado comigo".

Imagino que Lupércio já tivesse ouvido alguma coisa sobre o funcionamento da psicanálise ou das psicoterapias em geral, porque passou dessa primeira fala para algumas recordações da infância, como se fosse esse o protocolo a seguir.

A infância também foi boa. Utilizou o vocabulário técnico: "Nunca tive nenhum trauma, não guardo frustrações".

Foi o filho temporão de uma família numerosa, numa cidade pequena do litoral baiano.

Tinha várias irmãs mais velhas, pai, mãe, avó materna, todos muito afetuosos com ele. Disse que sempre se sentiu uma criança especial.

Mas, ao contrário de Adão, o bom filho, Lupércio definiu a si mesmo como um "moleque levado da breca". Brincava solto na rua o dia todo, era conhecido da vizinhança, amigo da molecada da rua, jogava bola, subia nas árvores, catava guaiamuns no manguezal.

"Tinha dias que eu saía de manhã de casa pra brincar e *sumia no mundo*. Me esquecia de voltar. No fim do dia o pessoal começava a ficar preocupado e saía atrás do meu paradeiro, mãe, vó, minhas irmãs, todo mundo perguntando: 'Alguém viu o Lupércio por aí?'. Até que alguém me encontrava brincando na casa de algum amiguinho."

"Levava bronca?"

"Não me lembro, não, o pessoal ralhava um pouco, mas achava graça nas minhas travessuras. Por isso é que eu falo pra você que não tenho nenhum trauma."

Lupércio entregou o jogo de primeira. Se fosse a primeira entrevista de um processo de análise normal, com muito tempo pela frente, não seria o momento de dizer nada. Mas eu nem sabia se teríamos tempo para uma segunda sessão. Perguntei, então, se não era exatamente isso o que ele fazia nas suas bebedeiras (que agora já me pareciam menos um problema de alcoolismo do que um recurso para sustentar sua posição subjetiva de menino levado e querido, a receber constantemente provas de amor dos que saíam à sua procura quando ele "sumia no mundo").

Ficou surpreso com a evidência que ele próprio oferecera. Disse que até na escola os colegas se mobilizavam para encontrá-lo no bar e, quando o levavam de volta, cuidavam bem dele. E no dia seguinte ninguém olhava feio, só faziam brincadeiras – "Esse Lupércio...".

Então pedi que ele pensasse na seguinte pergunta: o que lhe dava mais prazer, a bebida ou a demonstração de carinho que recebia do pessoal que saía em sua procura?

Pedi que tentasse voltar uma vez ao final de meu período de consultas, naquele mesmo dia. Concordou, mas não veio.

Duas semanas depois, voltei à escola e perguntei por ele, mas já estava de volta à Bahia. A dirigente que o encaminhara a mim disse que nos últimos dias de sua estadia não aconteceram novos incidentes com a bebida, ele estava sóbrio e "comportado". Essa informação não queria dizer muita coisa, já que Lupércio não era um alcoólatra clássico, incapaz de suportar um dia sem beber. Era um bebedor eventual – e exagerado.

Em 2010, quase quatro anos depois de nossa única sessão, estava na festa de cinco anos da ENFF quando alguém me abordou. "Está lembrada de mim?" Lembrei imediatamente. Cumprimentou-me, gentil. E ali mesmo, no meio do povo todo, ele me fez um breve relato do resultado do nosso trabalho: "Sabe que depois daquele dia nunca mais tive vontade de beber? Não bebo mais. Não é que eu tive que fazer um esforço, como o pessoal diz que tem que fazer. Eu só nunca mais tive vontade. Aquilo virou uma coisa boba; pra mim, acabou".

O leitor familiarizado com a psicanálise haverá de perceber a diferença entre as três sessões feitas por Adão, cujo resultado poderia ser qualificado como um efeito terapêutico do dispositivo analítico; em contraposição, em uma única sessão com Lupércio, foi-me dada a oportunidade rara de revelar ao sujeito sua posição fantasmática a partir do modo como ele escolheu me falar de seu sintoma.

Sobre a autora

Maria Rita Kehl é psicanalista e escritora, autora de vários livros, entre eles *O tempo e o cão: a atualidade das depressões* (Boitempo, 2009), vencedor do prêmio Jabuti de Melhor Livro do Ano de Não Ficção em 2010; *Deslocamentos do feminino: a mulher freudiana na passagem para a modernidade* (1. ed., Imago, 1998; 3. ed., Boitempo, 2016), *18 crônicas e mais algumas* (Boitempo, 2011) e *Ressentimento* (Casa do Psicólogo, 2004). Entre 2012 e 2014, participou da Comissão Nacional da Verdade (CNV), instituída por iniciativa da presidente Dilma Rousseff para investigar os crimes cometidos por agentes da ditadura militar de 1964-1985. Tem a pretensão de saber cantar, de memória, todos os sambas do mundo.

Foto: Mídia NINJA

Finalizado em março de 2018, mês em que o Brasil foi o triste palco da execução da socióloga Marielle Franco, "mulher, negra, mãe e cria da favela da Maré", a quinta vereadora mais votada da cidade do Rio de Janeiro nas eleições de 2016, este livro foi composto em Adobe Garamond, corpo 11/14,4, e reimpresso em papel Pólen Soft 80 g/m², pela gráfica Rettec para a Boitempo, em agosto de 2022, com tiragem de 1.500 exemplares.
Marielle presente!